Padre Pío

Su testamento espiritual

Textos seleccionados por Patricia Treece

Editorial Claretiana

Treece, Patricia
Padre Pío, su testamento espiritual
- 1a ed. 6a reimp. - Buenos Aires : Claretiana, 2006.
128 p. ; 17x11 cm.
ISBN 950-512-413-9
1. Vida Cristiana. I. Título
CDD 248

Título original:
Quiet Moments with Padre Pio
© 1999 by Patricia Treece
Published by Servant Publications, U.S.A.

Traducción y adaptación:
Néstor Dante Saporiti
Diseño de Tapa: *Grupo Uno*

Impreso en la Argentina.
Printed in Argentina.
ISBN 10: 950-512-413-9
ISBN 13: 978-950-512-413-8
© Editorial Claretiana, 2001.

EDITORIAL CLARETIANA
Lima 1360 – C1138ACD Buenos Aires
República Argentina
Tels. 4305-9510/9597 Fax: 4305-6552
email: editorial@editorialclaretiana.com.ar
www.editorialclaretiana.com.ar

Aclaración

Antes de que la fama limitara su apostolado, el Padre Pío dirigió espiritualmente a un gran número de personas a través de cartas. Estas no sólo nos revelan su profundo conocimiento de los corazones humanos, sino también de las Escrituras. En las mismas se tratan todo tipo de problemas humanos: desde preocupaciones sobre el dinero, la salud, y las relaciones afectivas, hasta problemas legales; todos estos temas son vistos como instrumentos para llevar a los hombres a Dios. Evidentemente, el Padre Pío escribe porque ama a sus destinatarios; pero, obviamente el motivo principal es la santificación de los mismos y su crecimiento en la unión con Dios a través de la caridad.

Si bien como editores hemos tratado de no tergiversar el significado de las palabras del Padre Pío, en algunos casos, los textos fueron condensados o bien adaptados para poder ganar en claridad.

Introducción

Imaginémonos un crucificado viviendo en el siglo XX, un hombre con heridas como las de Cristo en su costado, en sus manos y en sus pies. Este ser aparentemente medieval y poco realista ¿puede tener algo que decirnos a nosotros?

Realmente yo pensaba que no cuando hace unos años sentí hablar del Padre Pío, el fraile franciscano capuchino estigmatizado de San Giovanni Rotondo, en el sur de Italia. Esos ojos oscuros y penetrantes detrás de esas cejas espesas me infundían temor, tanto como la idea del guerrero espiritual, llamado por el mismo Cristo a través de una serie de visiones juveniles, para que viva toda su vida en conflicto con Satanás. Él era un hombre como san Pablo, el héroe espiritual del Padre Pío que sufrió por Cristo para redimir a los pecadores (cf Col 1,24). Este Pablo del siglo XX me parecía lúgubre y severo. Ciertamente, no era alguien con quien hubiera deseado pasar momentos de quietud.

En esos días yo miraba al Padre Pío a través de mis propios miedos: miedo frente a mis culpas y al castigo de Dios; miedo de que el sufrimiento dirigiera su horrible mirada hacia mí. Por encima de todo, tenía miedo de la convicción interior del Padre Pío de que el amor por Dios, como el amor humano, debía ser medido por la aceptación voluntaria del sufrimiento. El amor que desea sólo las "cosas buenas" de Dios no es amor de verdad.

Hoy me doy cuenta de que, en efecto, el Padre Pío, durante cincuenta años tuvo verdaderas heridas que dolían y sangraban; heridas que, como él mismo dijera sarcásticamente, no eran "condecoraciones". Pero él decía que, aunque fueran dolorosas, estas heridas también eran una fuente mística de vida para quien debía soportarlas, así como para los cientos de personas que compartieron los frutos de su crucifixión voluntaria y su constante oración. Si hoy alguien me pregunta sobre el Padre Pío, le hablo del sufrimiento reparador que Dios no necesita pero que a veces permite en ciertas personas como la gracia de poder participar en la obra de Cristo.

También le hablo de él como de un hombre como los demás, con una gran sonrisa, que amaba hacer bromas y travesuras, que no tenía un temperamento fácil, que luchó toda su vida contra la tendencia a irritarse y a responder bruscamente.

Fue esta persona real, y no una especie de santo de yeso, quien quería que la redención de Cristo alcanzara a todo el mundo, comprendiendo que, para ello, había que pagar un precio para salvar a la humanidad. "Cuando sé que una persona sufre, ¡no sé lo que haría para que el Señor lo libere de sus sufrimientos! Si pudiera, soportaría yo todas sus aflicciones con tal de que él se sienta aliviado", decía y deseaba Pío, mientras su corazón ardía de compasión y amor por la humanidad. Ese amor por los demás, obviamente, fue la expresión del amor desbordante que Dios concede a los santos; un amor tan grande que él temía que estallara si lo dejaba encerrado en la celda estrecha de su corazón.

Paradójicamente, este místico que vivía con un pie en la tierra y otro en una dimensión sobrenatural, un hombre con bilocaciones, olor de santidad, visiones, el don de leer los corazones y el carisma de sanar, era, al mismo tiempo, tan humano, que cuando un escritor italiano llegó al convento de San Giovanni Rotondo buscando al "santo con aureola", se encontró con un Padre Pío real, muy lejano de la persona que había pensado encontrar. ¿Por qué? Porque el verdadero Padre Pío era muy natural, muy —en el mejor sentido de la palabra— *común y corriente*.

Fue un auténtico consejero espiritual para maestros, amas de casa, doctores, obreros, así como para sacerdotes y seminaristas. También fue un gran conocedor de las Escrituras y de los escritos de muchos santos. Los sabios consejos que él dio a sus amigos —considerados sus "hijos e hijas espirituales"— son palabras de vida para todos nosotros. En efecto, cuando llegamos a conocer a este hombre que podía ser tan tímido, tierno y gentil, y al mismo tiempo extraño y débil, como cualquiera de nosotros, se tiene la sensación de estar frente al misterio de Dios. En Dios y en sus santos, algunos se sorprenderán de encontrar misericordia en vez de ira, calidez, ternura y compasión en lugar de un juicio frío. Ojalá, querido lector, que estos momentos de quietud con el padre Pío inunden tu vida de estos valores evangélicos.

1.No teman por el mañana

Les recomiendo que tengan un firme propósito general que los ayudará a servir a Dios siempre y con todo el corazón: *no teman por el mañana*. Piensen en hacer el bien hoy. Y cuando llegue el mañana, será el hoy y entonces podrán pensar en él. Confíen en la Providencia. Es necesario guardar el maná solamente para un día y nada más. Acuérdense del pueblo de Israel en el desierto.

Carta a los seminaristas capuchinos del 4 de julio de 1917

2. Sobre las motivaciones del corazón

Me has hablado de la frivolidad y la inconstancia de tu corazón, de sentirte continuamente sacudida por los vientos de las pasiones, y, como consecuencia, siempre insegura. Te creo. Pero creo también con no menos firmeza que la gracia de Jesús y la decisión que has tomado están siempre en tu corazón, donde la bandera de la cruz siempre está flameando, y donde la fe, la esperanza y la caridad gritan con valentía: *¡Deseo vivir para Jesús!*

Estoy de acuerdo, mi amada hija, en que las inclinaciones del orgullo, la vanidad, el amor propio, etc. están mezcladas en la mayoría de nuestras acciones. Pero no estoy de acuerdo en que, por esto, ellas se conviertan en las verdaderas motivaciones de tus actos. San Bernardo, un día en que durante la predicación se sentía atormentado por las inclinaciones mencionadas más arriba, dijo: "Si no he comenzado por ustedes (orgullo, vanidad, etc.), tampoco terminaré por ustedes."

Haz lo mismo cuando te sientas dominada por estas pasiones y vive serenamente porque Jesús está siempre contigo, y descansa dulcemente en tu corazón. Las cosas buenas que haces no tienen menos valor por el hecho de que te cueste mucho llevarlas a cabo, te sientas débil y no puedas realizarlas con alegría.

Carta a María Gargani, maestra y fundadora del Instituto de los Apóstoles del Sagrado Corazón de junio de 1917.

3. La oración

¡La oración es el oxígeno del espíritu!

4. Crecer en el amor

Te pido, en nombre de la ternura de Jesús, que no te dejes dominar por el miedo de no amar suficientemente a Dios. Comprendo muy bien que nadie puede amarlo como debería, pero cuando una persona hace todo lo que puede y confía en su divina misericordia, ¿por qué Jesús debería rechazarlo si lo busca de esta manera?

Dile a Jesús lo mismo que san Agustín siempre le decía: " 'Dame lo que me pides, y pídeme lo que quieras.' ¿Quieres que ame mucho, Jesús? Yo deseo lo mismo, como el ciervo que anhela alcanzar el agua del arroyo; pero, como tú ves, ¡no tengo más amor para dar que este! Dame un poco más y te lo ofreceré a ti."

No tengas dudas de que Jesús, que es tan bueno, aceptará tu regalo.

Carta a Raffaelina Cerase del 20 de abril de 1915.

5. Amar a Dios es tener la certeza de poseerlo

El movimiento instintivo de nuestros corazones es un movimiento hacia Dios; y esto no es otra cosa que amar nuestro propio bien.

La alegría surge de la felicidad de poseer lo que amamos. Por lo tanto, cuando alguien se encuentra con Dios, es natural que termine amándolo.

Amando a Dios, el espíritu está seguro de poseerlo. Cuando alguien ama el dinero, los honores, la buena salud, desafortunadamente, no siempre posee lo que ama; pero si ama a Dios, sabe que al mismo tiempo lo posee.

Esta idea no es mía, sino que se encuentra en la Biblia: "Si cumplen mis mandamientos, permanecerán en mi amor, como yo cumplí los mandamientos de mi Padre y permanezco en su amor" (Jn 15,10).

Carta a Raffaelina Cerase del 23 de octubre de 1915.

6. Amar a Dios

Estás tratando de medir, comprender, sentir y tocar el amor con el que amas a Dios. Pero, mi querida hermana, debes aceptar como una certeza que cuanto uno más ama a Dios, menos siente ese amor.

No soy capaz de explicar claramente esta verdad, pero puedes tomarla como algo auténtico. Dios es incomprensible e inaccesible; por lo tanto cuanto más penetra un alma en el amor de Dios, más ese sentimiento de amor hacia él parece disminuir, hasta que la pobre alma cree que el Señor ya no la quiere más.

En determinadas circunstancias, al alma le parece que esto es realmente así, pero ese miedo permanente, esa santa circunspección que nos hace mirar con atención adónde ponemos los pies para no tropezar, esa valentía frente a los ataques del enemigo, esa aceptación de la voluntad de Dios en cada adversidad de la vida, ese ardiente deseo por ver el Reino de Dios establecido en el propio corazón y en el de todos los hombres, son la prueba más clara de que amas a Dios.

Carta a Raffaelina Cerase del 19 de mayo de 1914.

7. Crecer siempre en la caridad

Crece siempre en la caridad cristiana. Nunca te canses de avanzar en la reina de las virtudes. Ten en cuenta que nunca es demasiado. Ámala mucho. Considérala como la cosa más importante, así co-mo lo fue para el divino Maestro, hasta el punto que la llamó "mi precepto" (Jn 15,10). Sí, estimemos mucho este precepto del divino Maestro y entonces desaparecerán todas las dificultades.

La virtud del amor es extremadamente hermosa y para sembrarla en nuestros corazones el Hijo de Dios ha aceptado descender desde el seno del Eterno Padre, hacerse uno de nosotros y, así, enseñarnos y facilitarnos el camino para adquirir esta eminente virtud.

Pidámosle insistentemente a Jesús que nos dé esta virtud y esforcémomos cada vez más para

crecer en ella. Lo repito: pidamos esto continuamente.

Carta a Raffaelina Cerase del 30 de marzo de 1915.

8. El deseo del amor de Dios ya es amor de Dios

Te pones triste por el amor que sientes por Dios. Te parece que es insignificante. Pero, mi querida hija, ¿no sientes tú misma este amor en tu corazón? Bueno, debes saber que en Dios el deseo de amor ya es amor.

¿Quién puso el amor del Señor en tu corazón? ¿Los santos deseos no vienen de lo alto? ¿Somos capaces de hacer surgir dentro de nosotros un solo deseo de ese tipo sin la gracia de Dios que trabaja dulcemente en nuestro interior? Si en tu corazón no existiera otra cosa que el deseo de Dios, sería suficiente; Dios mismo está ahí, porque si Dios está en todas partes, no puede no estar allí donde alguien desea su amor.

Descansa tranquila y contempla la existencia del amor divino en tu corazón. Y si este deseo no es satisfecho, si te parece que siempre lo deseas, pero nunca llegas a poseer el amor perfecto, todo eso significa que nunca debes decir "¡es suficiente!"; no podemos ni debemos detenernos en el camino del amor divino.

Carta a la maestra Erminia Gargani
del 14 de diciembre de 1916.

9. Un deseo imposible de satisfacer sobre la tierra

Por el amor de Dios, Raffaelina, no me tomes como ejemplo. Tengo siempre la sensación de carecer totalmente de amor hacia los demás. En todos los años que he pasado en la escuela de Jesús, todos los deseos que tengo de la bondad de Dios aun no han sido satisfechos. Dentro mío siento permanentemente algo que no puedo definir, algo parecido a un vacío. Quisiera que mi amor fuera más perfecto, pero aunque me esfuerzo, siento cada vez con más intensidad este deseo de amor. Lo único que comprendo muy bien es que este deseo no será nunca satisfecho del todo mientras seamos caminantes en esta tierra, y es aquí el punto donde comienza mi sufrimiento por este inquieto anhelo.

Carta a Raffaelina Cerase del 30 de marzo de 1915.

10. La más segura prueba de amor

No te desanimes ante la cruz. La más segura prueba de amor consiste en sufrir por el amado. Si Dios sufrió tanto por amor, entonces el dolor que sufrimos por él se vuelve tan adorable como el mismo amor. En medio de los problemas en los que el Señor te coloque, sé paciente y adáptate alegremente al Corazón de Dios con la conciencia de que todo es un juego permanente que proviene de tu Amado.

Cuanto más afligida estés, más debes alegrarte, porque en el fuego de la tribulación el alma se vuelve oro puro, digno de brillar en el cielo.

No te desalientes si la naturaleza te reclama comodidades. La naturaleza humana de Jesús también lo llevó a pedir que el cáliz del dolor le fuera alejado.

Normalmente la naturaleza humana busca huir del sufrimiento, porque el hombre fue creado para gozar de la felicidad. Mientras vivamos en esta tierra siempre sentiremos una natural adversión por el sufrimiento.

Ten por seguro que, si en lo más profundo de nuestro corazón somos capaces de someterlo todo al amor de Dios, nuestra natural adversión humana se convertirá en causa de mérito para nosotros.

Tres cartas a Raffaelina Cerase, del 14 de julio de 1914, del 15 de mayo de 1915 y el 18 de junio de 1915.

11. La corona se gana en el combate

La tormenta que se ha desatado a tu alrededor es un signo seguro de amor. Esta no es sólo una convicción personal, sino un argumento tomado de las Escrituras, que dicen que las tentaciones son la prueba de la unión del espíritu con Dios: "Hijo, si te decides a servir al Señor, prepara tu alma para la prueba" (Ecli 2,1). Es una señal de que Dios está presente en lo más profundo de tu corazón. "Estaré con él en el peligro", dice el Señor (Sal 91,15). Por eso el apóstol Santiago exhorta a los hermanos a alegrarse cuando se vean atormentados por varias calamidades y numerosas contradicciones: "Hermanos, alégrense profundamente cuando se vean sometidos a cualquier clase de pruebas" (Sant 1,2).

La razón es que la corona de laureles se gana en el combate. Si pudiéramos ver que a cada victoria alcanzada le corresponde un grado de gloria eterna, ¿cómo podemos no alegrarnos , mi querida hija, cuando tenemos que enfrentarnos a tantas pruebas en nuestra vida?

Espero que este pensamiento te consuele y el ejemplo de Jesús te de ánimos, porque "él fue sometido a las mismas pruebas que nosotros, a excepción del pecado" (Heb 4,15).

Carta a la maestra Maria Anna Campanile, una de los diez hijos de una familia cercana al Padre Pío, del 19 de mayo de 1918.

12. Confiar totalmente en Dios

Consideremos el amor que Jesús nos tiene y su preocupación por nuestro bienestar; de esta manera alcanzaremos la paz. No dudemos de que invariablemente nos asiste con sus cuidados paternales...

Más te sientes atacada por tus enemigos, más debes abandonarte con total confianza en Dios. Él siempre te sostendrá con su brazo poderoso de manera tal que nunca tropieces.

Para que el Señor nos abandone, tenemos que abandonarlo primero nosotros. En otras palabras, primero nosotros tendríamos que cerrarle la puerta de nuestro corazón, y aun así, ¡cuántas veces nos sigue tendiendo la mano para detenernos antes de caer al precipicio! ¡Cuántas veces, a pesar de que lo habíamos abandonado, nos ha vuelto a recibir con un abrazo lleno de amor!

¡Qué bueno es el Señor! Bendita sea por siempre su mano que tantas veces nos alivia en nuestros sufrimientos y extraordinariamente nos cura de nuestras heridas incurables.

Sin la gracia divina, ¿habrías logrado salir victorioso de todas las crisis y todas las batallas espirituales que has tenido que enfrentar? Bueno, entonces abre tu corazón cada vez más a la divina esperanza, confía más en la misericordia de Dios que es el único refugio posible para el alma expuesta a navegar en un mar tormentoso.

Cartas a Raffaelina Cerase del 28 de julio de 1914
y del 15 de mayo de 1915.

13. Una visita a Pietrelcina

En este lugar el misterio se respira en el aire... Todo nos recuerda que el cristianismo no está hecho de las cosas que nos gustan a nosotros, sino de las que le gustan a Dios.

... Una visita a la tan conocida Torretta puede ser inquietante. Es una pequeña habitación pegada a las rocas. No es fácil llegar hasta allí arriba, aun aferrándose del pasamanos. El Padre Pío vivió aquí cuando era un estudiante. Hay una pequeña mesa y una cama. Reina la pobreza, la misma que podemos encontrar unos metros más allá en el número 32 de Vico Storto Valle desde la calle hasta el establo... Aquí, el 25 de mayo de1887 nació el Padre Pío... Estas habitaciones rinden un homenaje a su padre, un campesino que más de una vez tuvo que emigrar a los Estados Unidos para ganar el dinero que le permitiría pagar los estudios de Pío en preparación a su entrada en el seminario. Pero estas habitaciones son también un homenaje a su madre que, cuando su hijo dejó la casa paterna para ser sacerdote, le dijo: "No te preocupes por mis lágrimas; sigue tu vocación y que el Señor te haga santo."

Testimonio de Giampaolo Mattei, hijo espiritual del Padre Pío, después de su visita a Pietrelcina, donde este nació y murió.

14. No es lo que esperaba

Un importante escritor un día llegó al convento del Padre Pío, creyendo que ciertos "santos" tenían un aspecto particular: los ojos dirigidos al cielo, iluminados desde arriba por un rayo de luz, los brazos abiertos o cruzados sobre el pecho...

A partir de esta imagen, empezó a buscar al Padre Pío en medio de los frailes mientras rezaban.

Un amigo suyo le preguntó: "¿Lo viste?"

"Creo que sí", respondió. Pero se equivocaba. Más tarde admitió que el Padre Pío "era el último del que se habría imaginado que era un místico."

La segunda sorpresa la tuvo a la mañana siguiente, mientras el Padre Pío celebraba la misa: a veces entrecerraba los párpados enrojecidos.

Pensó: "Debe tener mucho frío". Pero más tarde su amigo le dijo: "¿Has visto cómo lloraba?"

El escritor se dio cuenta de que esas lágrimas no eran "ni hermosas, ni radiantes", como él creía, sino las de un hombre que tiene ganas de llorar pero se resiste a hacerlo.

Luego, en el confesionario, se encontró con "un simple sacerdote campesino".

Más tarde llegó a la conclusión de que el Padre Pío real era "un fraile sin poses ascéticas, un sacerdote sin actitudes místicas, sino más bien una persona cuya autenticidad y originalidad es-tán fuera de discusión; la sinceridad de su corazón y la fuerza de su espíritu, más allá de toda sospecha."

15. El espíritu indomable de un guerrero

El periodista Giambattista Angioletti fue a San Giovanni pensando ver a "un pequeño frai-le". Sin embargo, cuando el Padre Pío se acercó a él, se encontró con "un antiguo guerrero, vestido con una túnica abierta en el cuello." Angio-letti se sorprendió al ver la inesperada apariencia de este hombre lleno de energía y vigor y que, en vez de hablarle de cosas celestiales, se refería a los políticos contemporáneos, a la reforma agrícola, se enojaba con los perezosos, con los cobardes...

El periodista escribió: "Como si hubiera sido iluminado, tuve la certeza de que la verdadera fe brota de la energía, del indomable espíritu de un guerrero. Para poder espantar el mal de los corazones de los hombres, sólo dos cosas son necesarias: primero, la dulzura; después la firmeza; esto es irreemplazable... Una sola de ellas sin la otra no puede hacer absolutamente nada."

16. Cuidado con estos tres enemigos

¿Queremos tener vida espiritual, impulsados y guiados por el Espíritu del Señor? Procuremos, entonces, mortificar el amor propio que nos ensoberbece, nos vuelve impulsivos, y nos conduce a la aridez del corazón. En pocas palabras, debemos tener cuidado con la vanagloria, la ira y la envidia, tres malos espíritus que pueden convertirnos en esclavos. Estos tres espíritus se oponen totalmente al Espíritu del Señor.

Carta a Raffaelina Cerase del 23 de octubre de 1914.

17. Dios habla a través de las Escrituras y otros libros espirituales

En estos momentos difíciles, ayúdate ante todo con la lectura de libros espirituales. Sinceramente deseo verte leyendo libros en todo momento, porque estas lecturas te proveerán el alimento excelente para el espíritu y te ayudarán mucho a progresar en el camino de la santidad. Sin dudas, es diferente a lo que podemos recibir a través de la oración y la meditación. En éstas, somos nosotros los que le hablamos al Señor, mientras que en las lecturas espirituales es Dios quien nos habla a nosotros. Trata de atesorar estas lecturas espirituales lo más que puedas y muy pronto te darás cuenta de la renovación espiritual que se habrá dado en ti.

Antes de empezar a leer, eleva tu mente al Señor y pídele que él mismo la guíe, que te hable al corazón y fortalezca tu voluntad.

Carta a Raffaelina Cerase del 14 de julio de 1914.

18. Para seguir a Jesús, debemos pensar en él

Realiza el firme propósito de llegar a ser digno de Jesús, o al menos similar a él, en todas aquellas cosas que ahora conoces gracias a la lectura de libros espirituales y del Evangelio.

Pero, para ser capaz de imitarlo, es necesario que permanentemente reflexiones y medites sobre su vida.

*

Todos los días debemos pensar en la vida de Aquel a quien pretendemos tomar como modelo. A través de la reflexión podemos apreciar sus actos, y del aprecio surgirá el deseo de imitarlo.

*

Estudia asiduamente a Jesucristo y sus divinas enseñanzas; entonces, sigue el ejemplo de vida que él nos propone en las Sagradas Escrituras.

Cartas a Marcellino Diconsole, a Erminia Gargani
y a Antonietta Vona

19. La importancia de leer la Biblia (I)

Estoy horrorizado por el daño que causa a las personas el no leer libros espirituales.

Escuchen a los Santos Padres cuando nos exhortan a aplicar en nosotros este tipo de lecturas. San Bernardo reconoce cuatro grados o significados para llegar a Dios: la lectura, la meditación, la oración y la contemplación. Para respaldar esto, cita al divino Maestro cuando dice: "Pidan y se les dará; busquen y encontrarán" (Mt 7,7). Según este santo, cuando leemos la Biblia u otros libros espirituales, estamos buscando a Dios; a través de la meditación lo encontramos; a través de la oración golpeamos a la puerta de su corazón y a través de la contemplación entramos en el jardín de las delicias divinas que nos ha sido abierto a través de la lectura, la meditación y la oración.

San Jerónimo enseña a san Paulino: "Ten siempre la Biblia en tus manos y ella nutrirá tu alma." A una viuda le recomienda que lea la Biblia y los escritos de aquellos Doctores de la Iglesia cuya doctrina es santa y edificante. A Demetrio le escribe: "Si quieres ser amado por la divina sabiduría, ama la lectura de la Biblia."

Carta a Raffaelina Cerase del 28 de julio de 1914.

20. La importancia de leer la Biblia (II)

Con respecto al poder de la Palabra de Dios, acuérdate de la conversión de san Agustín. ¿Quién ganó el corazón de este hombre para Dios? No fueron las lágrimas de su madre ni la elocuencia del gran san Ambrosio. ¡Qué violenta batalla sufrió en su pobre corazón a causa de la enorme resistencia de sus placeres sensuales! Pero cuando luchaba contra sus sentimientos tumultuosos, escuchó una voz que le decía: "ve y lee". Obedeció, y cuando leyó la epístola de san Pablo, la espesa oscuridad de su mente se disipó, la dureza de su corazón desapareció, y desde ese momento se dedicó completamente al servicio de Dios y se convirtió en un gran santo.

San Ignacio de Loyola, como resultado de haber leído un libro sobre la vida de Cristo y uno sobre vidas de santos, no sólo logró escapar del aburrimiento que le provocaba la enfermedad que padecía, sino que pasó de ser un capitán de la armada de un rey terreno a ser un capitán al servicio del Reino de Dios.

San Columbano, de tanto leer para agradar a su mujer, cambió totalmente de vida.

Ahora bien, si leer la Biblia puede convertir a los hombres mundanos en hombres espirituales, cuánto más podrá servir para pasar de ser hombres y mujeres espirituales a una santidad mayor.

21. San Pablo, el escritor bíblico favorito

Para explicarte cómo debe ser el verdadero cristiano, me inspiraré en mi amado apóstol san Pablo. Sus palabras, llenas de sabiduría espiritual, me encantan. Ellas llenan mi corazón de rocío celestial y elevan mi alma. No puedo leer sus cartas sin experimentar la fragancia que impregna todo mi corazón, hasta lo más profundo de mi espíritu.

Cuando leo las cartas de Pablo, mis preferidas, las palabras no pueden describir el placer que siento por ellas.

Cartas a Raffaelina Cerase del 23 de octubre y el 16 de noviembre de 1914.

22. Espera serenamente el rocío del cielo

La ansiedad es una de las más grandes enemigas de la verdadera virtud y la auténtica devoción a Dios. Es inevitable. Ella pretende entusiasmarnos para que hagamos cosas buenas pero, en realidad, terminamos por no hacer nada; sólo nos lleva a correr todo el día. Debemos estar atentos a esto en todo momento, especialmente durante la oración. Y para poder vencerla, puede servirnos recordar que las gracias y las consolaciones de la oración no son aguas de esta tierra, sino del cielo. Por lo tanto, todos nuestros esfuerzos no son suficientes para hacerlas caer, si bien es necesario prepararse con mucha diligencia, pero también con humildad y tranquilidad. Debemos tener siempre el corazón dirigido hacia el cielo y esperar que de allí caiga el rocío de Dios.

23. A salvo en los brazos de Dios

No anticipes los problemas de esta vida angustiándote, sino más bien con una perfecta esperanza de que Dios, a quien perteneces, te librará de ellos en el momento oportuno. Él te ha defendido hasta ahora. Simplemente aférrate con fuerza de la mano de su divina providencia y te ayudará en todas las situaciones, y cuando no puedas seguir adelante, él te guiará.

¿Por qué temes si tú perteneces a este Dios que con fuerza te asegura: "Sabemos que Dios dispone todas las cosas para el bien de los que lo aman" (Rom 8,28)? No pienses en lo que sucederá mañana, porque el mismo Padre del cielo que te cuida hoy también lo hará mañana y siempre.

Vive tranquilamente, quita de tu imaginación aquello que la inquieta y dile con frecuencia al Señor: *Tú eres mi Dios y confiaré en ti. Tú me asistirás y serás mi refugio, y así nada temeré*; porque no sólo tú estás con él, sino que tú estás en él y él está en ti. ¿Qué puede temer un niño, cuando descansa en los brazos de su padre?

Carta a Erminia Gargani del 23 de abril de 1918.

24. Utilidad de la meditación

¿Por qué te afliges si no puedes meditar? La meditación es un medio para llegar a Dios, no un fin. El objetivo de la meditación es el amor de Dios y el de nuestro prójimo. Ama al primero con todo tu corazón y sin reservas; ama al segundo como a ti mismo, y habrás alcanzado la finalidad de la meditación. Si no puedes pensar en Dios porque te sientes inclinado a contemplarlo, considérate satisfecho y no desees pensar en él, que es la primera parte de la meditación. Preocúpate por llevar dulcemente tu corazón a vivir las decisiones y el amor a Dios, que es la segunda parte de la meditación y, como siempre digo, la más importante. Utiliza la primera parte de la meditación cuando debes llegar a la segunda parte. Pero cuando el Dios bueno te lleve directamente a la segunda parte, no desees volver atrás, porque de esa manera estarías echando todo a perder.

25. El Espíritu de Dios, espíritu de paz

El Espíritu de Dios es un espíritu de paz. Aun en medio de las faltas más serias nos hace sentir una tristeza que es serena, humilde, confidente, y esto es así gracias a su misericordia.

El espíritu del demonio, en cambio, excita, exaspera, y nos hace sentir realmente tristes, enojados con nosotros mismos, cuando en realidad deberíamos ser, ante todo, solidarios.

Por lo tanto, si algún pensamiento te inquieta, esta tensión no viene de Dios, que te da la paz porque es Espíritu de Paz, sino del demonio.

26. Calma en la tormenta

Qué importante es aceptar que estamos alterados por las pruebas y problemas de la vida, porque estas cosas, en vez de abrir nuestro corazón para que confiemos en Dios, tienden a cerrarlo.

Carta al P. Agostino, uno de los directores espirituales que tuvo el Padre Pío, del 24 de octubre de 1913.

27. El valor de una verdadera vida cristiana

No todos somos llamados por Dios para salvar a los hermanos y propagar su gloria a través del noble apostolado de la predicación. Por otro lado, recuerda que este no es el único camino para alcanzar estos dos grandes ideales. Podemos manifestar la gloria de Dios y trabajar por la salvación de los hermanos a través de una verdadera vida cristiana, rezando sin cesar para que "venga su Reino", para que su nombre sea "santificado", para que "no caigamos en tentación", y para que "nos libre del mal".

Esto es lo que debes hacer, ofreciéndote continuamente al Señor por esta causa. Debes estar completamente seguro de que esta es la forma más alta de apostolado a la que podemos aspirar, de la que Jesús nos habla en el Evangelio.

Carta a Raffaelina Cerase del 11 de abril de 1914.

28. Cara a cara con Cristo

"Oh Jesús, te encomiendo a esta persona. Conviértela, sálvala. No la conviertas solamente, porque después podría perder tu gracia, sino sálvala, sálvala. ¿Acaso no has derramado tu sangre también por él? Jesús, ¿quieres irte? Quédate un poco más. ¡Es tan hermoso estar contigo!"

Testimonio del P. Agostino de 1911,
que presenció un momento de éxtasis del Padre Pío.

29. El fuego del amor

No puedo comenzar a rezar hasta que mi corazón no esté lleno del fuego del amor. Este fuego no se parece a ningún fuego que se pueda encender sobre la tierra. Es una llama delicada y muy suave que consume sin causar ningún dolor. Es tan dulce y deliciosa que satisface y sacia totalmente mi alma. ¡Querido Dios! Esto es algo muy importante para mí, algo que tal vez sólo comprenderé cuando llegue al cielo.

Mi deseo de Dios no se extingue ante esta deliciosa experiencia; antes bien este placer lo perfecciona.

Carta al P. Benedetto, uno de los directores espirituales que tuvo el Padre Pío, del 26 de marzo de 1914.

30. En Jesús no podemos seguir siendo egoístas

Ahora entenderás, mi querida hija, por qué el alma que ha elegido el amor divino no puede seguir siendo egoísta en el Corazón de Jesús, sino que arde de amor por sus hermanos y hermanas.

¿Por qué sucede esto? Hija mía, no es difícil de comprender. Cuando el espíritu deja de vivir por sí mismo y empieza a vivir en Jesús, que habita en su interior, necesita sentir, querer y vivir los mismos sentimientos y deseos de Aquel que vive en él. Y tú sabes, mi querida hija, cuáles son los sentimientos y deseos que el Corazón del Divino Maestro siente por Dios y por la humanidad.

Carta a Maria Anna Campanile del 31 de mayo de 1918.

31. La gracia de la compasión por los demás

En lo más profundo de mi alma, siento que Dios ha hecho brotar una gran capacidad para compadecerme por los sufrimientos de los demás, especialmente por los más pobres y necesitados. La inmensa piedad que experimento cuando veo a un pobre acrecienta en mí el deseo de ayudarlo, y si obedeciera a lo que me dicta la voluntad, me quitaría hasta la ropa para cubrirlo.

Cuando sé que una persona está sufriendo en su cuerpo o en su espíritu, no sé lo que haría con tal de que el Señor lo libere de sus sufrimientos. Voluntariamente cargaría sobre mí todas sus aflicciones con tal de verlo bien; y, si el Señor me lo permitiera, le transmitiría todos los beneficios de esos sufrimientos.

Veo con mucha claridad que esta es una gracia particular que me concede Dios porque en el pasado, aunque por la misericordia divina nunca dejé de ayudar a los necesitados, no sentía una compasión natural por sus sufrimientos.

Carta al Padre Benedetto del 26 de marzo de 1914.

32. El Bautismo no es el final de la lucha

La vida del cristiano consiste en despojarse de sí mismo, de los vicios del hombre de este mundo, para revestirse de las virtudes que nos ha enseñado Jesús.

El cristiano santificado por el bautismo no está exento de la rebelión de los sentidos y las pasiones; el mismo apóstol san Pablo sufrió profundos dolores interiores por una rebelión hasta el punto de expresar esta queja: "Con mi razón sirvo a la Ley de Dios, pero con mi carne sirvo a la ley del pecado" (Rom 7,25).

Esto debe ser dicho para consolación de muchas personas desafortunadas que experimentan este agudo conflicto dentro de ellos mismos, en los que un temperamento enérgico o los bajos deseos tratan de imponerse. Ellos no quieren sentir o albergar esos impulsos, esos sentimientos enfermizos hacia los demás, esas imágenes propuestas por su imaginación, esos impulsos sensuales. Estos sentimientos que generan un conflicto interior surgen tan involuntariamente que, cuanto uno más trata de hacer algo bueno, más violentamente nos sentimos impulsados a obrar mal.

Algunos piensan que están ofendiendo a Dios cuando sienten esta violenta inclinación al mal. Tengan paz en sus corazones, porque en esto no hay pecado; de hecho, el mismo san Pablo, un instrumento elegido por Dios, vivió este tipo de conflictos (cf Rom 7,16). Aun cuando los deseos del cuerpo se hacen sentir violentamente, no hay pecado si la voluntad no los consiente.

Carta a Raffaelina Cerase del 16 de noviembre de 1914.

33. Una herencia de alegría

La familia del Padre Pío era tan devota que los vecinos los llamaban "la familia donde Dios es todo". Sin embargo esto no significaba que fueran poco sociables. La característica que la gente más recuerda de Grazio Forgione, el papá del Padre Pío, es su alegría. Era un hombre con un profundo amor a Dios, que podía caminar alrededor de una hormiga diciendo: "¿Por qué murió esta pobre criatura?" A Forgione le gustaba mu-cho cantar y, cuando lo hacía, comunicaba "una alegría contagiosa".

Giuseppa De Nunzio, la mamá del Padre Pío, que era muy devota, también era una alegre compañía para los demás. Una vez, su pequeño Francesco (el nombre de pila del Padre Pío), al ver unas hortalizas, le dijo: "¡Qué hermosas hortalizas; me gustaría comer algunas!" Pero como estaban cruzando un campo, su madre le dijo que era pecado. Entonces Pío le dijo si podía recoger un fruto de la higuera que se encontraba en el camino. Giuseppa le respondió: "Es pecado comer hortalizas del campo que sembró el vecino, ¡pero no lo es comer los higos del camino!"

El propio sentido del humor del Padre Pío y su gusto por las travesuras y bromas fue hecho notar por todos sus amigos. No debemos subestimar lo importante que fue esta herencia de alegría para conservar una buena salud mental y el equilibrio en su apostolado como "guerrero espiritual".

34. Sobre el ángel guardián del Padre Pío

Este ángel guardián comenzó su tarea muy temprano, cuando el Padre Pío aun era un niño. Tomó el aspecto de otro niño y se hizo visible a él. Más tarde, adelantado en años y en santidad, el Padre Pío lo llamará justamente "el compañero de mi infancia". Este nombre revela una íntima relación entre el pequeño Francesco (el nombre de pila del Padre Pío) y su querido ángel. Un compañero no es una persona con la cual nos vemos una vez cada tanto, sino alguien con quien nos encontramos con frecuencia y somos amigos. Lo amamos, y en el caso del pequeño Pa-dre Pío, también jugamos con él. Este amigo celestial alegraba a su camarada y lo hizo anhelar el cielo.

Este es el motivo por el que el Padre Pío experimentaba por su ángel sentimientos tan profundos y la devoción más tierna y confidencial.

Testimonio del P. Eusebio, que asistió al Padre Pío entre 1961-65.

35. La verdadera mística

A comienzos de 1912, cuando el Padre Pío vivía en su ciudad natal, Pietrelcina, por motivos de salud, uno de sus directores espirituales, el P. Agostino de San Marco in Lamis, quiso comprobar la autenticidad de su santidad. Para esto le escribió en francés y en griego, dos idiomas que el Padre Pío no conocía. Pero este no tuvo inconvenientes para comprenderlas porque su ángel guardián se las traducía.

La autenticidad de este testimonio se adjunta a una de estas cartas. Con fecha 25 de agosto de 1919, el párroco Salvatore Pannullo escribe: "Testifico bajo juramento que cuando el Padre Pío recibió esta carta, me explicó su contenido literalmente. Cuando le pregunté cómo podía leerla y explicarla si no sabía ni siquiera el alfabeto griego, me respondió: 'Usted sabe, mi ángel guardián me explica todo'."

36. Ten en cuenta a tu buen ángel

Que tu buen ángel sea tu escudo para hacer frente a los embates de los enemigos de nuestra salvación.

¡Oh Raffaelina, qué consuelo es saber que estamos siempre bajo la protección de un espíritu celestial que nunca nos abandona, ni siquiera cuando ofendemos a Dios! ¡Esto es admirable! ¡Qué agradable es esta gran verdad para el que cree! ¿A quién puede temer, entonces, el espíritu devoto que trata de amar a Jesús, si está acompañado por tan ilustre guerrero? ¿No fue, quizás, uno entre la multitud de ángeles quien se unió en el cielo a san Miguel para defender el honor de Dios frente a Satanás y a todos los demás ángeles rebeldes, para vencerlos y conducirlos al infierno? (cf Daniel 10,13; Ap 12,7)

Déjame decirte que tu ángel todavía es poderoso. Su amor no ha disminuido y nunca dejará de defenderte. El hecho de tener cerca de nosotros a un ángel que no nos abandona ni un instante desde la cuna hasta la sepultura, que nos guía y nos protege como un amigo o un hermano, realmente debería llenarnos de consuelo.

37. Mi buen ángel reza por mí

Este buen ángel reza por ti y le ofrece a Dios todas tus buenas obras, tus santos y nobles deseos. Cuando te sientas solo y abandonado, no te quejes diciendo que no tienes ningún amigo a quien abrirle el corazón y confiarle tus penas. Por el amor de Dios, no te olvides de este compañero invisible que siempre está allí para escucharte, que siempre está disponible para consolarte.

¡Oh deliciosa intimidad! ¡Oh compañero bendito! Si todos los hombres al menos pudieran entender y apreciar el gran regalo que Dios en su infinito amor nos ha hecho al asignarnos este espíritu celestial para guiarnos! Acuérdate con frecuencia de su presencia. Agradécele y rézale. Él es muy considerado y sensible.

Invoca con frecuencia a este ángel bondadoso. Repite seguido la hermosa oración: "Ángel de

Dios, mi querido guardián, a quien el amor de Dios me ha confiado, permanece a mi lado en este día para iluminarme y cuidarme, gobernarme y guiarme."

En la hora de la muerte contemplarás a este buen ángel que te acompañó durante toda la vida y que con tanta generosidad te brindó sus cuidados maternos.

Carta a Raffaelina Cerase del 20 de abril de 1915.

38. *Los ángeles guardianes*

Habiendo vivido junto al Padre Pío durante más de seis años, con frecuencia le decía: "Padre, si no pudiera volver a verlo, ¿qué debo hacer si necesito sus oraciones?" Y el Padre Pío me respondía: "Si no puedes venir tú mismo, envíame tu ángel guardián. Él puede traerme tu mensaje y yo te asistiré lo mejor que pueda."

Un día, cuando estaba sentado a su costado, el Padre Pío estaba tocando su rosario. Había tanta paz y tanta calma alrededor de él que me animé a hacerle algunas preguntas. Para mi sorpresa, me respondió: "Por favor, hijo mío, déjame solo. ¿No ves que estoy muy ocupado?"

"Qué raro", pensé. "Está sentado tocando su rosario y me dice que está ocupado." Como me quedé totalmente en silencio, pensando que no era verdad que estaba ocupado, el Padre Pío me miró y dijo: "¿No ves a todos esos ángeles guardianes yendo y viniendo, trayéndome mensajes de parte de sus protegidos?"

Le respondí: "Padre, no vi a ningún ángel guardián, pero le creo, porque usted siempre le dice a la gente que le envíen los suyos."

Testimonio del Padre Alessio Parente, ofm. cap.

39. Tiempo precioso

¿Quién puede asegurarnos que mañana estaremos vivos? Escuchemos la voz de nuestra conciencia, la voz del profeta: "Si hoy escuchan su voz, no endurezcan su corazón" (Heb 3,7-8). No posterguemos de un momento a otro lo que tenemos que hacer porque el próximo momento todavía no nos pertenece.

*

¡Oh, qué precioso es el tiempo! Benditos sean aquellos que saben emplearlo para hacer cosas buenas. Si al menos todos pudieran comprender qué precioso es el tiempo, indudablemente cada uno haría todo lo posible para emplearlo en modo loable.

40. Cuando el corazón se rebela

Estás afligida porque tu voluntad no comparte tu adhesión al plan de Dios. ¿Estás realmente segura de esto?

Lamentablemente, cuando expresas tu aceptación de la voluntad de Dios, también quieres sentir en tu corazón una especie de dulzura. Pero ¿no te dije que el estado de purificación en el que el Señor te ha colocado consiste, precisamente, en privarte de ese sentimiento de deleite al que estás acostumbrada?

Piensa en la aceptación de Jesús en el monte de los Olivos y cuánto le costó, llevándolo a sudar gotas de sangre. Repite este gesto cuando las cosas te van bien y también cuando te van mal. No te inquietes ni te preocupes por el modo en que lo realizarás. Sabemos que naturalmente nos alejamos de la cruz cuando las cosas son difíciles, pero no podemos decir que el espíritu no se adhiere a la voluntad de Dios cuando lo vemos cargar esa voluntad a pesar de la fuerte resistencia que siente por ir en la dirección opuesta.

Si tu voluntad no quiere rebelarse, aunque le cueste, debes estar segura de que, en cierto modo, has aceptado la voluntad de Dios.

Carta a Raffaelina Cerase del 30 de enero de 1915.

41. No te aburras

Me cuentas que, a causa de tu espíritu somnoliento, distraído, inconstante y desdichado, frecuentemente unido a tus problemas de salud, no puedes quedarte mucho tiempo en la capilla.

No te preocupes. Haz un esfuerzo por vencer el fastidio y el hastío, y no te aburras con oraciones muy largas cuando tu corazón y tu mente no están tan inclinados a rezar.

De todos modos, cuando te sea posible, trata de retirarte durante el día, y en el silencio de tu corazón y en soledad ofrece tus oraciones, tus bendiciones, tu corazón humilde, y toda tu persona al Padre del cielo.

Esto es lo que puedes hacer durante los períodos de mal tiempo o durante una convalecencia. A la mañana sigue levantándote más bien tarde; entonces ve al templo, recibe la eucaristía, pasa un tiempo breve en adoración frente a Jesús en el Santísimo Sacramento, y entonces regresa a tu hogar. Haz tu acción de gracias por la comunión en tu casa.

Con respecto al no poder ir a misa durante los días hábiles, no te preocupes ni atormentes. Jesús conoce todas las razones y entonces también sabrá ser comprensivo contigo.

Cartas a Raffaelina Cerase del 19 de septiembre de 1914 y del 23 de febrero de 1915.

42. Las alas que nos elevan a Dios

Humildad y pureza en el modo de comportarnos son las alas que nos elevan a Dios y en cierto modo nos divinizan. Recuerda esto: el pecador que se avergüenza de haber pecado está más cerca de Dios que el hombre honrado que se avergüenza de hacer el bien.

43. El inevitable egocentrismo

No tienes que darle ninguna importancia a todos estos pequeños impulsos que experimentas. Querida hija, estos asaltos de las pasiones, que se dan en nosotros sin quererlos, son inevitables mientras seamos peregrinos en la tierra.

Es precisamente por esto que san Pablo gritó al cielo con toda la amargura de su corazón: "¡Ay de mí! Siento como si dentro mío hubiera dos hombres: el viejo y el nuevo; dos leyes: la ley de los sentidos y la ley del espíritu; dos fuerzas: la de la naturaleza y la de la gracia. ¿Quién podrá li-

brarme de este cuerpo que me lleva a la muerte?"
(cf Rom 7,23-24)

Hija mía, debemos convencernos y aceptar es-ta terrible gran verdad. El amor propio nunca desaparece. Ciertamente esto nos hace sufrir, pero debemos aceptarlo y ser pacientes con noso-tros mismos, y con nuestra paciencia podremos gobernar nuestro espíritu, como el Divino Maestro nos enseña. Este dominio es más seguro cuanto menos mezclado esté con miedos y desórdenes, aun cuando estén involucradas nuestras imperfecciones.

Carta a María Gargani del 12 de febrero de 1917.

44. Ignora el ridículo

Sé siempre fiel a Dios cumpliendo las promesas que le has hecho, y no te preocupes si los demás se ríen de ti. Recuerda que los santos siempre fueron ridiculizados por sus contemporáneos; pero ellos no les hicieron caso y triunfaron sobre el mundo y sus burlas.

45. En las pruebas no estamos solos

Sé constante y firme en la fe y permanece alerta, porque de esta manera evitarás todas las trampas del enemigo... de acuerdo a la recomendación que nos ha dado san Pedro, el príncipe de los apóstoles: "Sean sobrios y estén siempre alerta, porque su enemigo, el demonio, ronda como un león rugiente, buscando a quién devorar." Entonces, para animarnos, agrega: "Resístanlo firmes en la fe, sabiendo que sus hermanos dispersos por el mundo padecen los mismos sufrimientos que ustedes." (1 Pe 5,8-9)

Sí, amada hija de Jesús, renueva tu fe en las verdades de la doctrina cristiana, especialmente en los momentos de conflicto. Y sobre todo renueva tu fe en las promesas de vida eterna que nuestro dulcísimo Jesús hace a aquellos que luchan enérgicamente y con valentía. Te sentirás animada y reconfortada por saber que no estamos solos en medio de nuestros sufrimientos, porque todos los discípulos del Nazareno dispersos por el mundo sufren de la misma manera y están expuestos como nosotros a las pruebas y dificultades de la vida.

Carta a Raffaelina Cerase del 26 de noviembre de 1914.

46. Paradójica victoria en la derrota

Cuando dos hombres se pelean, aquel que tiene miedo, que está herido, que cae al suelo y derrama su sangre, es considerado el perdedor. Sin embargo, en la vida, aquel que tiembla ante el mismo Dios, que sufre por las heridas producidas por sus propias caídas y se arrastra boca abajo por el polvo, que se humilla a sí mismo, llora, suspira y reza, este hombre triunfa sobre la justicia de Dios y lo obliga a ser misericordioso (cf Est 8,3; Gn 32,28).

Es imposible para Dios permanecer indiferente a estas demostraciones de buena voluntad y no tenerte en cuenta. El poder de Dios triunfa sobre todas las cosas, pero la oración humilde y sufrida prevalece sobre el mismo Dios. Lo desarma, lo vence, lo aplaca, y lo convierte en nuestro amigo.

Carta a Raffaelina Cerase del 7 de septiembre de 1915.

47. El destete del alma

A un niño el destete le provoca sufrimiento, pero es necesario para que se alimente apropiadamente y se convierta en un hombre.

Dios procede del mismo modo con nuestras almas. Él quiere conquistarnos para él a través de experiencias de abundante dulzura y consolaciones en todas nuestras devociones. Pero ¿quien no ha visto el gran peligro que rodea a este tipo de amor a Dios? Es fácil que la pobre alma se apegue a estas dulzuras y consolaciones, mientras le presta muy poca atención al único amor verdadero que la hace agradable ante Dios.

Nuestro dulcísimo Jesús se apresura para rescatarnos. Cuando ve que una persona ha adquirido suficientes virtudes para perseverar en su santo servicio sin necesidad de las atracciones y las dulzuras que le llegan a través de los sentidos, entonces le ofrece grandes satisfacciones quitándole los sentimientos deliciosos experimentados en las meditaciones, las oraciones y otras devociones.

Cuando sucede esto tenemos que alegrarnos, haciendo nuestro deber sin ninguna compensación en el presente. Obrando de esta manera, nuestro amor por Dios es desinteresado. Uno lo ama y lo sirve sin esperar recompensas, con una actitud madura.

Cartas a Raffaelina Cerase del 9 de enero de 1915 y a María Gargani del 27 de julio de 1917.

48. Cómo recibir la eucaristía

Acerquémonos a recibir el pan de los ángeles, la eucaristía, con mucha fe y el corazón lleno de afecto. Esperemos el más tierno amor de nuestras almas para poder ser consolados en esta vida con el beso de su boca. ¡Felices nosotros, Raffaelina, si logramos recibir del Señor la consolación de su beso en esta vida! Entonces de verdad sentiremos nuestra voluntad inseparablemente atada todo el tiempo a la voluntad de Jesús, y nada en el mun-do podrá disuadirnos de querer lo que nuestro divino Maestro quiere. Entonces podremos decir: Sí, mi Dios y mi gloria, divino Amor,

Señor de nuestra vida, "tu amor es más delicioso que el vino; el aroma de tus perfumes es exquisito." (Cant 1,2-3)

Cuando nuestro Señor nos permite pronunciar estas palabras como la esposa del Cantar de los cantares, sentimos una especie de dulzura, porque tomamos conciencia de que Jesús está muy cerca de nosotros.

Carta a Raffaelina Cerase del 7 de septiembre de 1915.

49. La afabilidad de Jesús

Hay momentos en los que, al recordar la severidad de Jesús, me siento triste; pero cuando tengo en cuenta su afabilidad, me siento totalmente consolado. No puedo no abandonarme a esta ternura, a esta felicidad.

Confío tanto en Jesús que, aunque viera el infierno abierto ante mí y descubriera que estoy al borde del abismo, no perdería la confianza. No me desesperaría sino que seguiría confiando en él.

50. Sobre la fe

El más bello acto de fe es el que se realiza en medio de la oscuridad, en medio del sacrificio, y con un gran esfuerzo.

51. Cuando las cosas no alcanzan

No debes desanimarte o deprimirte si tus obras no salieron perfectas como tú esperabas. ¿Qué pretendías? Estamos hechos de arcilla, y no todo terreno produce los frutos esperados por el que lo ha cultivado. Pero seamos humildes y tomemos conciencia de que no somos nada sin la ayuda de Dios.

Debemos preocuparnos si nos alteramos por algo que hicimos y no resultó según nuestras más puras intenciones, demostrando que no tenemos suficiente humildad. Este es un signo claro de que no hemos confiado el éxito de nuestros actos a Dios, sino que los hicimos depender demasiado de nuestra propia fuerza.

Carta a Raffaelina Cerase del 17 de diciembre de 1914.

52. La entrega total de nuestra voluntad es muy difícil

Dios, que nos ha concedido tantos beneficios, se complace al recibir un regalo muy insignificante como el de nuestra voluntad. Ofrezcámo-sela con esa oración sublime que es el *Padrenuestro*: Hágase tu voluntad así en la tierra como en el cielo. Presentémosle nuestra voluntad como una verdadera ofrenda y hagámoslo cotidianamente. No lo hagamos como esos niños que, después de haber ofrecido un hermoso regalo, inmediatamente se arrepienten y empiezan a llorar y a reclamarlo.

La entrega total de nuestra voluntad, lamentablemente, es muy difícil. Nuestro Divino Maestro nos lo muestra muy claramente porque, inmediatamente después de haberle ofrecido su voluntad al Padre le pide: "Danos hoy nuestro pan de cada día." Aquí reconocemos que, ante todo, se trata de la eucaristía. ¡Estaba pidiéndole poder quedarse con nosotros!

Carta a Raffaelina Cerase del 23 de febrero de 1915.

53. El divino Niño

El Niño celestial sufre y llora en la cuna hasta el punto de que su sufrimiento se nos vuelve amable, meritorio. No posee nada; por eso aprendemos de él a renunciar a las cosas de la tierra. Fue amado por humildes y pobres pastores; por eso amamos la pobreza y preferimos la compañía de los simples y pequeños en vez de la de los grandes del mundo.

54. Paz

La paz es la sencillez del corazón, la serenidad de la mente, la tranquilidad del alma, un vínculo de amor. La paz significa el orden, la armonía en todo nuestro ser; significa la permanente aceptación serena que proviene de una buena conciencia; es la santa alegría del corazón donde Dios reina. La paz es el camino hacia la perfección; realmente sólo en la fe se puede encontrar la perfección. El demonio, que sabe muy bien todo esto, hace todo lo posible para que perdamos la paz.

55. Suplicar a Dios en voz alta

Si bien pasar por una prueba es muy duro, te vuelvo a repetir que no debes tener miedo, porque Jesús está contigo, aun cuando ves que estás como al borde de un precipicio. Evidentemente, debes levantar tu voz al cielo, aun cuando te invade un sentimiento de desolación. Grita en voz alta con Job, ese hombre tan paciente que cuando el Señor lo puso en la misma situación en la que te encuentras, le dijo gritando: "Aunque tú me mataras, Señor, seguiría esperando en ti" (Job 13,15).

Carta a Raffaelina Cerase del 28 de febrero de 1915.

56. Tratados de diferentes maneras, amados con la misma intensidad

Todos los apóstoles, con excepción del hijo de la perdición, fueron amados por el Divino Maestro. No todos fueron tratados del mismo modo, sino según sus necesidades, caracteres y

capacidades. Pero todos fueron elegidos y amados por el Redentor.

Carta sin fecha a Antonieta Vona, de 1922-23 aproximadamente.

57. Una luz tan pura y divina

El estado de tu alma es el de la desolación o el
de un santo sufrimiento espiritual. Yo te aseguro
que la conciencia de tu indignidad interior es una
luz extremadamente pura y divina, que ilumina tu
capacidad de pecado cuando te alejas de la gracia
divina. Esa luz es el resultado de la gran misericordia de Dios y fue concedida a los santos, para
proteger al alma de los sentimientos de vanidad u
orgullo y reforzar la humildad, que es la base de la
verdadera virtud y de la perfección cristiana.

Santa Teresa también recibió esta conciencia
y dijo que es algo tan doloroso y horrible que
podría causarnos la muerte si el Señor no nos
sostiene el corazón.

Esta conciencia de tu potencial indignidad no
debe ser confundida con la verdadera indigni-

dad. Estás confundiendo una por otra. Tú temes ser... lo cual es sólo una posibilidad.

Recuerda que Dios puede rechazar todo en una criatura concebida en pecado, pero no puede rechazar el deseo sincero de amarlo.

Carta a Maria Anna Campanile del 26 de marzo de 1918.

58. Una potente batalla

Esta alma se ha sentido muy fuerte desde los primeros años de su vocación a la vida religiosa. Pero, a medida que fue creciendo, lamentablemente comenzó a beber grandes sorbos de la vanidad del mundo. En el corazón de esta pobre criatura se desató una fuerte batalla entre la creciente vocación por un lado y un dulce pero falso deleite por las cosas del mundo por el otro. Tal vez ... los sentimientos habrían triunfado sobre el espíritu y habrían apagado la buena semilla del llamado divino. Pero, como el Señor deseaba esta alma para sí mismo, quiso favorecerla con una visión que voy a describir.

Un día, cuando estaba meditando sobre su vocación y preguntándose sobre cómo podía hacer para alejar su mente del mundo a fin de vivir to-talmente para Dios, ... sus sentidos inmediatamente se detuvieron y ... contempló a su lado una figura majestuosa de rara belleza, radiante como el sol. Este hombre lo tomó de la mano y ... le dijo: "Ven conmigo, porque es digno que pelees como un valiente guerrero."

Escrito sólo por obediencia a sus superiores
(Padre Pío habla de sí mismo en tercera persona).

59. El doloroso adiós del Padre Pío al mundo y a su familia

No hay que imaginarse que él no sufrió nada en la parte más humana de su alma cuando dejó a su propia familia, a la que estaba tan apegado, para entrar con los Franciscanos. En el momento de despedirse sintió como si los huesos se le rompieran y el dolor fue tan intenso que casi se desmaya.

Cuando el día de la partida se acercaba, la angustia crecía. La última noche que pasó con su familia, el Señor vino a consolarlo con otra visión. Contempló en toda su majestad a Jesús y a su Madre bendita, que lo animó y le confirmó su predilección. Finalmente, Jesús le puso una mano en la cabeza y esto fue suficiente para fortalecer su alma, hasta el punto que no derramó ni una lágrima en el momento de la dolorosa despedida, aun cuando en ese momento estaba sufriendo terriblemente en su alma y en su cuerpo.

*Escrito por orden de sus superiores
(habla de sí mismo en tercera persona).*

60. El santo permanece de pie por sí mismo

¡Cuánto deseo volver a la comunidad! El más grande sacrificio que le he ofrecido al Señor ha sido, de hecho, el no ser capaz de vivir en comunidad. Sin embargo, me es imposible pensar que usted quiere que me muera. Es verdad que estuve muy mal y sigo estándolo durante mi permanencia en casa de mis padres; pero aquí siempre pude seguir el tratamiento, mientras que en la comunidad no. Si se hubiera tratado simplemente de algunos dolores, vaya y pase. Pero, para ser una carga y una molestia para los demás sin otro desenlace que la muerte... no sé qué decirle.

Además, también me parece que tengo la obligación de no renunciar a la vida a los veinticuatro años. Creo que el Señor quiere que las cosas sean de esta manera. Piense que estoy más muerto que vivo, y entonces proceda como mejor le parece, porque estoy dispuesto a hacer cualquier sacrificio exigido por la obediencia.

Respuesta al P. Benedetto del 8 de septiembre de 1911, que le exigía que volviera al convento a pesar de que una misteriosa enfermedad obligó al Padre Pío a volver a Pietrelcina durante varios años, el único lugar donde pudo evadir a la muerte.

61. ¡Qué difícil es creer!

En este momento de mi vida surgen en mí una infinidad de temores. Tentaciones contra la fe que me llevarían a negar todo. Mi querido Padre, ¡qué difícil es creer!

Hay momentos, sin embargo, en los que soy atacado por violentas tentaciones contra la fe. Estoy seguro de que mi voluntad no va a rendirse, pero mi imaginación es tan activa y me presenta las tentaciones en colores tan brillantes que el pecado no me parece algo simplemente indiferente, sino hasta deleitable.

Cartas al P. Benedetto del 16 de julio de 1917 y del 8 de marzo de 1916.

62. El pecado y las debilidades humanas

El demonio tiene solamente una puerta para entrar en nuestras almas: la voluntad. No hay puertas secretas. No hay pecado si no ha sido cometido con toda la voluntad. Cuando la voluntad no consiente, no hay pecado, sino solamente debilidad humana.

63. Algo que no puedo comprender

Ayer por la tarde me sucedió algo que no puedo ni explicar ni entender. En el centro de las palmas de las manos me apareció una mancha roja, del tamaño de una moneda, acompañada de un dolor agudo. El dolor era mucho más agudo en la mano izquierda y aun persiste. También me duele un poco en la planta de los pies.

Este fenómeno se ha repetido varias veces durante casi un año, pero durante un tiempo no apareció. No se enoje si es la primera vez que le hablo de esto, pero inevitablemente me invadió un miedo terrible. ¡Si supiera cuánto me cuesta decírselo en este momento! Tengo muchísimas cosas que contarle, pero no encuentro las palabras. Sólo puedo decirle que cuando estoy cerca de Jesús en el Santísimo Sacramento, el corazón me late tan fuerte que me parece que se me va a salir del pecho.

A veces en el altar todo mi cuerpo arde de una manera indescriptible. Especialmente mi cara parece encenderse. Querido Padre, no tengo idea de lo que estos signos puedan significar.

Carta al P. Benedetto del 8 de setiembre de 1911.

64. El toque de Dios

Me quedo mirando fijo hacia el este, en medio de la noche que me rodea, para descubrir esa estrella milagrosa que guió a nuestros antepasados a la gruta de Belén. Pero canso mis ojos en vano tratando de verla aparecer en el cielo. Cuanto más fijo la mirada, cuanto más me atrae la luz, cuanto más grande es mi esfuerzo, cuanto más ardiente es mi búsqueda, más profunda es la oscuridad que me rodea.

Sólo una vez sentí, en medio del más profundo desánimo de mi espíritu, algo tan delicado que no sé cómo explicárselo. Sin decir nada, mi alma tomó conciencia de su presencia, y entonces, como lo iba a contar, se acercó tanto a mi alma que sentí que me tocaba. Para darle una imagen aproximada de esto, fue como cuando el cuerpo siente la presión que otro cuerpo ejerce sobre él.

Me dominaba un gran temor, pero progresivamente este miedo se convirtió en un rapto celestial. Me parecía que estaba muy lejos. Me pareció que no era más que un viajero y no puedo decirle, lo quiera o no, si en ese momento todavía era conciente de estar en mi propio cuerpo. Sólo Dios lo sabe.

Carta al P. Benedetto del 3 de marzo de 1916.

65. Avergonzado y humillado por Dios

¡Qué puedo decirle como respuesta a sus preguntas sobre mi crucifixión? ¡Dios mío! ¡Cuánto me avergüenza y humilla el tener que explicar lo que le has hecho a esta pobre criatura!

El día veinte del mes pasado, por la mañana, en el coro, después de haber celebrado la misa se apoderó de mí un sopor similar a un dulce sueño. Todos los sentidos internos y externos y hasta las facultades de mi alma fueron sumergidas en una indescriptible quietud. Un silencio absoluto me rodeó y me invadió. Inmediatamente sentí una gran paz y abandono que borró todo lo demás y me provocó una gran calma en medio de la confusión. Todo esto en apenas unos segundos.

Cuando esto me estaba sucediendo vi ante mí a una persona misteriosa parecida a una que vi el ... 5 de agosto. La única diferencia era que sus manos, sus pies y su costado goteaban sangre. Esto me aterrorizó y lo que sentí ... es indescriptible. Pensé que me iba a morir, y realmente me habría muerto si el Señor no hubiera intervenido y fortificado mi corazón que parecía estallarme fuera del pecho. La visión desapareció y me di cuenta de que mis manos, mis pies, y mi costado estaban goteando sangre. Imagínese la agonía que experimenté y sigo experimentando cada día. La herida del corazón sangra continuamente...

Carta al P. Benedetto del 22 de octubre de 1918, después de que los estigmas que soportó durante 50 años se hicieran visibles.

66. Una súplica a Dios

Querido Padre, me estoy muriendo de dolor porque, por las heridas y las dificultades que eso me acarrea, me siento profundamente triste. Me temo que voy a morir si el Señor no escucha mi súplica para que me libere de esta condición.

Jesús, que es tan bueno, ¿me concederá esta gracia? ¿Finalmente me liberará de las dificultades causadas por estos signos externos? Elevaré mi voz y no cesaré de implorarlo hasta que por su misericordia me quite, no las heridas o el dolor, que es imposible porque yo deseo embriagarme de dolor, sino estos signos externos que me hacen sentir tan incómodo y me producen una insoportable humillación.

Carta al P. Benedetto del 22 de octubre de 1918.

67. Un tormento tan amado como doloroso

¡Qué agudo es el dolor que siento en las profundidades de mi alma, que me hace experimentar agonías de amor de día y de noche! ¡Qué agudo es el dolor que siento en las manos, los pies y el corazón! Estos dolores me ponen en un estado permanente de enfermedad que, aunque es agradable, no por eso es menos doloroso y punzante.

En medio de semejante tormento, que es amable y doloroso al mismo tiempo, tengo dos sentimientos conflictivos: uno, que quisiera desechar el dolor y otro que lo desea. El solo pensar en tener que vivir por algún tiempo sin este agudo pero deleitable tormento me aterroriza, me asusta, y me hace sufrir tremendamente.

En medio de este tormento encuentro la fuerza de gritar un doloroso *fiat*. ¡Qué dulce y al mismo tiempo qué amargo es este "¡Hágase tu voluntad!" ¡Corta y sana, hiere y cura, provoca muerte y al mismo tiempo engendra vida! Oh, dulces heridas, ¿por qué si son tan dolorosas, al mismo tiempo derraman un bálsamo sobre mi alma?

Carta al P. Benedetto del 24 de noviembre de 1918.

68. El peso y la felicidad de poseer a Dios

Me parece hasta imposible explicar la acción del Amado. Él se esconde pobremente en el pequeño vaso de arcilla de esta criatura, y yo sufro un indescriptible martirio a causa de mi incapacidad para soportar el peso de este inmenso amor. ¿Cómo puedo cargar al Infinito en mi pequeño corazón? ¿Cómo puedo seguir confinándolo en la estrecha celda de mi alma? En ella se funden simultáneamente el dolor con el amor, la amargura y la dulzura. ¿Cómo puedo soportar este sufrimiento tan inmenso infligido por el Altísimo? Porque con la alegría de poseerlo en mí, no puedo dejar de repetir con la santísima Vir-gen: "Mi espíritu se alegra en Dios, mi Salvador" (Lc 1,47). Este poseerlo en mí me lleva a decir con la esposa del Cantar de los Cantares: "Encontré al amado de mi alma. Lo agarré y no lo soltaré" (Cant 3,4). Pero entonces, cuando me veo a mí mismo incapaz de soportar el peso de este infinito amor... me invade el temor de perderlo a causa de mi incapacidad para contenerlo en el estrecho espacio de mi corazón.

Carta al P. Benedetto del 12 de enero de 1919.

69. Alegría y tristeza

Debes saber que no me queda un momento libre: una multitud de almas sedientas de Jesús vienen a verme hasta el punto que no sé por dónde empezar. Ante una cosecha tan abundante, por un lado me regocijo en el Señor, porque veo que el número de las almas elegidas que Jesús tanto ama crece permanentemente; y por otro lado me siento destruido por semejante peso.

Ha habido períodos en los que he escuchado confesiones ininterrumpidamente durante dieciocho horas consecutivas. No tengo ni un momento para mí. Pero Dios me ayuda efectivamente en mi ministerio. Siento la fuerza de renunciar a todo con tal de que las almas vuelvan a Jesús y lo amen.

70. Luchar contra las debilidades humanas

Mi única pena es que, involuntaria e inconscientemente, a veces levanto la voz cuando corrijo a los demás. Me doy cuenta de que esto es una debilidad vergonzosa, pero ¿cómo puedo impedirla si sucede sin que yo sea consciente? Aunque yo rezo, me quejo y me lamento ante nuestro Señor sobre esto, todavía no me ha escuchado del todo. Además, a pesar de que trato de estar muy atento, a veces hago lo que realmente detesto y quisiera evitar.

Por favor, siga encomendándome a la misericordia divina.

Carta al P. Benedetto del 14 de julio de 1920.

71. Cuando el amor de Dios nos corrige

Soy consumido por el amor a Dios y al prójimo. Por favor, créame, Padre, cuando le cuento que mis arrebatos ocasionales (normalmente al enviar a algunas personas fuera del confesionario sin darles la absolución por manifestar un arrepentimiento falso o superficial) son ocasionados precisamente por estas situaciones.

¿Cómo se puede ver a Dios entristecido por el demonio y no entristecerse uno también? Por favor, créame, entonces, cuando le digo que en esos momentos me siento sacudido o transformado en lo más profundo de mi alma. No siento más que el deseo de tener y querer lo que Dios quiere. En él siempre me siento internamente como en reposo aun cuando, a veces, externamente me siento incómodo por tener que corregir a alguien duramente.

¿Con respecto a mis hermanos? Cuántas veces, por no decir siempre, tengo que decirle a Dios con Moisés: "Perdónalo, y si no bórrame, por favor, del libro de la vida" (Ex 32,32).

Carta al P. Benedetto del 20 de noviembre de 1921.

72. La misión que Dios confió al Padre Pío

Infinitas alabanzas y acciones de gracias sean dadas a ti, mi Dios. Me has ocultado a los ojos de todos al llamarme a pertenecer a la orden de los capuchinos; pero al mismo tiempo me has confiado *una gran misión.* Una misión que sólo tú y yo conocemos...

Señor, muéstrate cada vez más a mi pobre corazón, y completa en mí el trabajo que has comenzado. Siento profundamente dentro de mi corazón una voz que me dice continuamente: santifícate y haz que los demás sean santos.

Carta a una hija espiritual de noviembre de 1922.

73. Un océano de dulzura

Estaba en el altar para la celebración de la misa. El sufrimiento físico y un dolor interior competían por torturar mi pobre ser...

Cuando me acerqué al momento de la comunión, sentí que me moría. Una tristeza mortal me invadió a lo largo y a lo ancho, y sentí que todo había acabado para mí: mi vida como tiempo y como eternidad.

El pensamiento dominante que me entristeció ... fue el no poder demostrar nunca más mi reverencia y mi amor a la divina Bondad. No era el infierno lo que me aterrorizaba, sino la clara conciencia de que allí abajo ya no hay amor...

Había llegado al límite, a la cumbre de mi agonía, y cuando creí que encontraría la muerte, encontré la consolación de la vida. En el momento de comulgar, una luz repentina me invadió interiormente y vi con claridad a la Madre del cielo con el Niño Jesús en sus brazos, y ambos me decían: "¡Cálmate, estamos contigo! Tú nos perteneces y nosotros somos tuyos."

... Dicho esto, no vi más nada. Entonces la calma y la paz y todos los sufrimientos desaparecieron al instante. Durante todo el día me sentí sumergido en un océano de dulzura y en un indescriptible amor por Dios y por las almas.

Narración del Padre Pío escrita por obediencia.

74. Una pequeña flor

El dieciséis de octubre era el día de mi cumpleaños. Como siempre, había ido a mi escritorio a trabajar. Como no había visto al Padre Pío, esperé impacientemente las once de la mañana para saludarlo. Pero ese día no sentí sus rítmicos pasos acompañados por una fuerte tos.

Había comenzado a trabajar cuando, de repente, me pareció que alguien se había detenido en mi puerta y que había golpeado delicadamente. Ante la duda, me levanté y abrí la puerta. Era él, sonriendo y un poco incómodo, como un niño sorprendido por su madre en medio de una travesura.

"Felicidades", me dijo, y me dio una pequeña flor que había puesto en el agujero de la cerradura.

Recuerdo del P. Gerardo de Deliceto,
que vivió con el Padre Pío durante varios años.

75. Una sola cosa es necesaria

Una sola cosa es necesaria: estar cerca de Jesús. Tú sabes bien que el día de su nacimiento, los pastores escucharon cantos angélicos y divinos de los espíritus celestiales. La Biblia lo dice. Pero no dicen que su madre virginal y san José, que estaban cerca del Niño, escucharon las voces de los ángeles y vieron esos milagros de esplendor. Al contrario, escucharon al Niño llorando y vieron a través de la luz de una pobre lámpara los ojos del Divino Niño llenos de lágrimas, y que temblaba de frío. Ahora te pregunto: ¿No hubieras preferido estar en el establo oscuro con los gritos del pequeño Niño, que junto a los pastores llenos de alegría, escuchando esas dulces melodías celestiales y la belleza de este maravilloso esplendor?

76. Ansiedad

La ansiedad es uno de los más grandes traidores que puedan tener la verdadera virtud y la sólida devoción. Sería bueno recordar que las gracias y las consolaciones de la oración no son aguas de esta tierra, sino del cielo. Por eso todos nuestros esfuerzos no son suficientes para liberarnos de ella, aun cuando necesitamos prepararnos muy bien para soportarla. En cambio uno debe siempre, humilde y tranquilamente, conservar el corazón en dirección al cielo y esperar de allí el rocío divino.

77. Pensamientos sobre la gracia y la gula

Nunca te sientes a la mesa sin antes haber rezado y pedido la ayuda divina, para que el alimento que estás por comer para nutrir tu cuerpo no sea nocivo para tu espíritu. Represéntate al divino Maestro en el medio con sus santos apóstoles tal como se encontraba durante la última cena antes de instituir la eucaristía.

Además, nunca te levantes de la mesa sin haber dado gracias al Señor. Si obramos de esta manera no debemos temer de caer en el lamentable pecado de la gula. Cuando comes, ten cuidado en no ser demasiado complicada en materia de comidas, recordando que es muy fácil caer en la glotonería. Nunca comas más de lo que realmente necesitas, y trata de ser moderada todo el tiempo. Deberías estar muy preparada para rechazar lo que no necesitas antes de caer en excesos innecesarios. Sin embargo, no quiero decir que te tienes que quedar con hambre. Que la prudencia pueda regular todas las cosas, como si fuera una regla para todas tus acciones.

Carta a Raffaelina Cerase del 17 de diciembre de 1914.

78. El Espíritu Santo guía su oración

Te quejas de que no respondo a todas tus preguntas y me retas amablemente sobre esto. Todo lo que puedo hacer es pedirte perdón y que no te enojes conmigo, porque no es mi culpa. Hace un tiempo estuve sufriendo de falta de memoria, no obstante mis buenas intenciones de satisfacer cada uno de los requerimientos que se me hacían. Me dijo mi director espiritual que es una gracia muy especial del Padre del cielo.

El Señor sólo me permite recordar a aquellas personas y cosas que quiere que yo recuerde. De hecho, en varias ocasiones nuestro Señor misericordioso me ha sugerido personas a las que antes nunca había visto ni había oído hablar, con el único propósito de que los tuviera presentes ante él e intercediera por ellos, después de lo cual nunca deja de responder a mis débiles oraciones. Por otro lado, cuando Jesús no quiere responderme, actualmente me hace olvidar de rezar por esas personas por las que yo tenía la firme decisión e intención de hacerlo.

Carta a Raffaelina Cerase del 19 de mayo de 1914.

79. Un ser humano como todos

Cuando empecé a visitar al Padre Pío no había demasiada gente porque no era fácil llegar hasta allí. Podíamos ir al pequeño jardín, donde había tal vez diez personas, y paseábamos con él. Era jovial, de buen humor, contaba chistes. Cuando uno estaba a su lado, al mirarlo podía decir: "es un santo". Pero cuando hablaba, uno no veía al santo. Uno veía a un ser humano como todos, sonriente, bromista. Lo podía tocar. He conversado con él como habría podido conversar con cualquier persona.

Testimonio de Andrea Mandato de Nueva Jersey.

80. Su afable sencillez

El Padre Pío desarmaba a todos con su afable sencillez, aun a aquellos que iban para ver en él lo sobrenatural y lo extraordinario a cualquier precio.

Una tarde, cuando iba a la capilla para la oración comunitaria, le dijo a alguien que lo conocía muy bien: "Realmente, esta tarde no tengo ganas de rezar; ni siquiera tengo la excusa de las buenas intenciones, porque realmente no tengo ganas."

81. Te son perdonados tus pecados

¿Durante un tiempo no has amado al Señor? ¿En este momento no lo amas? ¿No sientes el deseo de amarlo para siempre? Aun así: ¡no temas! Aunque hubieras cometido todos los pecados de este mundo Jesús te repite: ¡Te son perdonados tus muchos pecados porque has amado mucho!

82. Tres sugerencias para progresar espiritualmente

Debes tener cuidado de no pelear ni competir con nadie. Si en cambio lo haces, despídete de la paz y de la caridad. El excesivo apego a tus propias opiniones invariablemente es la fuente y el comienzo de la discordia. San Pablo nos exhorta a tener un mismo pensamiento con respecto a este vicio despreciable.

También debes estar atenta a no caer en la vanidad, que es un vicio muy común en las personas devotas. Ella nos conduce sin que nos demos cuenta a sentirnos superiores a los demás. San Pablo también advierte sobre esto a sus queridos filipenses. Este gran santo, lleno del Espíritu del Señor, vio claramente el mal que surgiría entre esos santos cristianos si este feo vicio entraba en sus almas. Los advirtió diciéndoles: "No hagan nada por rivalidad o vanagloria" (Flp 2,3).

Por último, procuremos dar prioridad a lo que beneficia a los demás y no a lo que creemos que es ventajoso para nosotros.

Carta a Raffaelina Cerase del 4 de noviembre de 1914.

83. Sobre las distracciones

Cuando tengas distracciones no te distraigas más aún poniéndote a pensar el cómo y el por qué. Así como cuando un viajero pierde su ruta apenas puede regresa al camino justo, seguirás meditando sin detenerte a pensar en tus distracciones.

84. Una profecía en Pietrelcina

El joven Padre Pío un atardecer regresaba, en compañía del P. Salvatore Pannullo, del cementerio de Pietrelcina. Cuando llegó al lugar donde actualmente se encuentra el convento de los capuchinos con el seminario y la iglesia dedicada a la Sagrada Familia, el Padre Pío, como inmerso en un pensamiento y en un tono profético, le dijo al sacerdote: "Padre Salvatore, ¡qué hermosa fragancia de incienso y que bello sonido de ángeles cantando! ¿Lo escucha?" El P. Salvatore, sorprendido, respondió: "Piuccio , ¿estás loco o estás soñando? ¡No hay ningún olor a incienso ni sonido de ángeles cantando!" Entonces el Padre Pío dijo: "Padre, un día aquí levantarán un convento y una iglesia desde los que ascenderán al Señor el incienso de la oración junto a himnos de alabanza!"

El párroco, que conocía la santidad de Pío, le respondió: "Está bien, si es la voluntad de Dios."

El tiempo demostró que el Padre Pío tenía razón.

85. Frutos deliciosos

Sólo Dios puede iluminar al alma con su gracia y mostrarle cómo es. Cuanto más una persona conoce su propia miseria e indignidad ante Dios, más grande es la gracia y la luz que recibe para revelarle cómo es.

Comprendo que descubrir la propia miseria bajo la acción de la luz divina al comienzo entristece y deprime. Esto es una fuente de dolor y temor para la pobre alma iluminada de esta manera. Pero consuélate en nuestro dulcísimo Señor, porque cuando la luz divina caliente la tierra de tu alma con sus cálidos rayos, hará surgir nuevas plantas que a su tiempo darán deliciosos frutos, como nunca antes fueron vistos.

Consuélate, entonces, con este pensamiento delicioso, con su hermosa seguridad.

Carta a Raffaelina Cerase del 4 de marzo de 1915.

86. Pensamientos sobre la oración

La oración es el mejor arma que tenemos; es la llave para entrar en el corazón de Dios. Debes hablarle a Jesús no sólo con tus labios, sino con tu corazón. En efecto, en ciertas ocasiones deberías hablarle sólo con el corazón.

Uno busca a Dios en los libros, pero lo encuentra en la meditación.

Reza, espera, y no temas. Temer no sirve para nada. Dios es misericordioso y escuchará tu oración.

Todas las oraciones son buenas cuando están acompañadas de buenas intenciones y buena voluntad.

87. El amor de Dios y la ingratitud del hombre

Cuando pienso en el amor de Jesús por un lado y en mi propia ingratitud por otro, mi querido Padre, tengo ganas de decirle que si no puedo corresponder a su amor, debería dejar de amarme; sólo de esta manera me siento menos culpable. Pero si Jesús no me ama, ¿qué será de mí? ¡No amar más a Jesús y no ser amado por él nunca más! Esto es demasiado horrible y, por lo tanto, me lleva a pedirle a Jesús que no deje de amarme y de ayudarme aunque yo no sea capaz de amarlo tanto cuanto se merece.

Carta al P. Benedetto de septiembre de 1911.

88. El campo de batalla

El campo de batalla entre Dios y el demonio es el alma humana. Es allí donde se desarrolla la lucha en cada momento de nuestra vida. El alma debe darle libre acceso a nuestro Señor y estar completamente fortificada por él con todo tipo de armas. Su luz debe iluminarla para luchar contra la oscuridad del error; para poder vencer sobre tan poderoso enemigo debe poner su confianza en Jesucristo, en su verdad y justicia, en el escudo de la fe, en la Palabra de Dios. Para confiar en Jesucristo, debemos morir a nosotros mismos.

89. Hay cosas que no pueden ser traducidas al lenguaje humano

¡Qué dulce fue el coloquio con el paraíso esta mañana! Fue tan fuerte que, aunque quiera contárselo todo, no puedo. Viví cosas que no pueden ser traducidas con el lenguaje humano sin hacer que pierdan su profundidad y su significado celestial. El corazón de Jesús y el mío —permítame usar esta expresión— estaban fusionados. Ya no eran dos corazones latiendo sino uno solo. Mi propio corazón había desaparecido, como una gota de agua que se pierde en el océano. Jesús era su paraíso, su rey. Mi alegría fue tan intensa y profunda que no pude resistirlo y lágrimas de felicidad rodaron por mis mejillas.

90. Primer encuentro con el Padre Pío

Después de que el Padre Pío me dirigiera espiritualmente por carta durante dos años, fui a conocerlo personalmente. Al verme aparecer en la puerta de la sacristía, me llamó por mi nombre y me hizo entrar en una pequeña habitación adyacente donde nos pusimos a conversar como dos personas que se conocían desde hacía mucho tiempo. ¡Qué dulces eran las palabras, y cuánta seguridad le transmitieron a mi alma! Él me animó a pertenecerle cada vez más al Señor y a hacer todo lo posible para que sea glorificado en mi vida.

Me sentí verdaderamente feliz, y todas las sombras y sufrimientos se desvanecieron de mi alma. Durante el tiempo que estuve en su presencia permanecí en silencio, pero se dio cuenta de que quería contarle muchas cosas más; por lo tanto me dijo que podía ir a verlo un rato todas las tardes durante los quince días que se quedaría en la ciudad.

Confieso que durante mi conversación con el Padre Pío he bebido a sorbos una abundante porción de la infusión del Espíritu Santo, que me permitió gustar algo de la transfiguración de Jesús en el Tabor, cuando mi alma deseaba, como los apóstoles, permanecer allí para siempre, en ese estado de divina elevación del espíritu. En ese tiempo, él me enseñó a escuchar la voz de Dios.

Escrito por María Gargani, que encontró por primera vez al Padre Pío en abril de 1918.

91. Temores santos y no tan santos

Está el temor de Dios y el temor de Judas. Demasiados temores nos llevan a obrar sin amor, y demasiada presunción confiada nos lleva a no tener en cuenta y temer el peligro del que debemos protegernos. Uno puede ayudar al otro y caminar juntos como dos hermanos. Siempre, cuando nos volvemos conscientes de tener miedo, mucho miedo, debemos acordarnos de tener confianza. Si somos excesivamente confiados, deberíamos volvernos al menos un poco temerosos. El amor tiende a ir hacia el objeto amado; sin embargo, en este acercamiento, es ciego. Pero el santo temor lo ilumina.

92. El llamado de Jesús

Jesús llama a los pobres y simples pastores a través de los ángeles para manifestárseles a ellos. Él llama a los hombres sabios, los Magos, a través de la ciencia. Y todos ellos, movidos interiormente por la gracia, se apresuran para ir a adorarlo.

Él nos llama a todos nosotros con inspiraciones divinas y se nos revela con su gracia. ¿Cuántas veces nos ha invitado amorosamente? ¿Con qué rapidez le hemos respondido?

Dios mío, me da vergüenza y me confunde tener que responder a una pregunta como esta.

93. Él lee los corazones de los demás, pero el suyo permanece en el misterio

Hay muchas cosas que me gustaría contarle, Padre, pero soy incapaz de hacerlo. Me doy cuenta de que soy un misterio para mí mismo.

Carta al P. Agostino del 17 de marzo de 1916.

94. Ahora creo en el sacramento de la reconciliación

Yo iba a misa todos los domingos pero no creía demasiado en el sacramento de la reconciliación; por lo tanto me confesaba muy raramente. Sólo después de haber encontrado al Padre Pío empecé a creer en este sacramento.

La primera vez que me confesé, él mismo me dijo cuáles eran los pecados que había cometido.

95. Poner todo en la dulce misericordia de Dios

No te preocupes si no eres capaz de recordar todas tus pequeñas caídas para confesarlas. No, hija mía, no debes afligirte por esto, porque así como esto sucede sin que te des cuenta, del mismo modo, sin que te des cuenta, después de cada caída te levantas.

El hombre justo no siente ni se ve a sí mismo cayendo sietes veces al día, pero, de hecho cae. Y en el mismo sentido, si cae siete veces al día, otras tantas se levanta. Por lo tanto, no te preocupes, sino con humildad y franqueza confiesa lo que recuerdes, y ponlo en la dulce misericordia de Dios, que pone su mano debajo de aquellos que caen sin que se den cuenta, de tal manera que no se lastimen. Y los levanta tan rápido que no se dan cuenta ni siquiera de que han caído, porque su mano divina los levantó cuando cayeron; en efecto, no pudieron darse cuenta de este renacer, porque fueron rescatados tan rápido que ni tuvieron tiempo de pensar en ello.

Carta a María Anna Campanile del 18 de octubre 1917.

96. No te quedes en los errores del pasado

En nuestros pensamientos y al confesarnos, no debemos quedarnos en los pecados que ya han sido confesados. Porque, por nuestro arrepentimiento, Jesús ya los ha olvidado. Él ha borrado nuestras miserias como un acreedor a su deudor. Con un gesto de infinita generosidad anuló nuestros pecados y destruyó las facturas que habíamos firmado con ellos, y que pagamos, sin duda, con la ayuda de su divina misericordia. ¿No deberíamos considerarlo una falta de confianza en la bondad que ha demostrado volver a pensar en ellos sólo para volver a pedir perdón porque dudamos de que nos hayan sido verdaderamente perdonados?

Recuérdalos si esto te hace sentir bien. De todos modos, piensa en las ofensas contra la justicia, la sabiduría, y en la infinita misericordia de Dios, pero sólo con el propósito de derramar lágrimas redentoras de arrepentimiento y amor.

97. Dos en la tentación

Entiendo que las tentaciones parecen manchar el alma en vez de purificarla, pero realmente no es así. Escuchemos lo que los santos tienen para decirnos. Para ti es suficiente saber lo que dice el gran san Francisco de Sales: esas tentaciones son como el jabón que, cuando se tira sobre la ropa parece mancharla, pero en realidad la limpia.

Carta a Raffaelina Cerase del 11 de abril de 1914.

* * *

Cuando estás tentada debes pensar en Dios; debes esperar en él y buscar todo lo que es bueno para él. No te quedes voluntariamente en lo que el enemigo te propone. Recuerda que ante el primer signo de aversión, debes dejar de pensar en ello y dirigir el pensamiento a Dios. Dobla tus rodillas ante él y, con la mayor humildad, di esta breve oración: "Ten piedad de esta pobre pecadora." Entonces levántate y con santa indiferencia sigue adelante con tus ocupaciones.

Carta a Assunta Di Tomaso del 2 de marzo de 1917.

98. El santo temor

Me dices que tienes miedo de caer en el orgullo. Personalmente no puedo ver cómo una persona puede volverse orgullosa de los dones que reconoce en sí misma. Me parece que cuanto más uno es consciente de sus riquezas personales, con mayor razón debe ser humilde ante el Señor, para que esos dones crezcan, y porque nunca podrá devolverle al donante todas las cosas buenas que recibió de él. En tu caso, ¿qué tienes de particular para sentirte orgullosa de ello? ¿Qué posees que no lo hayas recibido? Si todo lo recibiste, por qué te jactas como si fuera tuyo? (cf 1 Cor 4,7)

Cada vez que el tentador quiera inflarte de orgullo, repite: Todo lo que es bueno en mí lo he recibido de Dios en préstamo, y sería una tonta si me jactara de lo que no es mío.

*

No pienses que por este temor te volverás orgullosa, porque es un santo temor. Mientras tengas miedo de caer en el orgullo y la vanagloria, nunca serás su víctima. Por lo tanto, ten cuidado de que este temor nunca te abandone.

Cartas a Raffaellina Cerase del 30 y del 23 de enero de 1915.

99. Cómo besar a Jesús sin traicionarlo

El profeta Isaías dijo: "Un niño nos ha nacido, un niño nos ha sido dado." (Is 9,5)

Este niño, Raffaelina, es un hermano querido, el amadísimo Esposo de nuestras almas, de quien la sagrada esposa del Cantar de los Cantares, prefigurando al alma creyente, desea la compañía y anhela los divinos besos: "¡Ah, si tú fueras mi hermano, criado en los pechos de mi madre! Al encontrarte por la calle podría besarte! ¡Bésame ardientemente con tu boca!" (Cant 8,1; 1,2). Este hermano es Jesús y podemos besarlo sin traicionarlo, darle el beso y el abrazo de la gracia y el amor que espera de nosotros y que promete devolvernos. San Bernardo nos dice que podemos hacer todo esto si lo servimos con afecto genuino, poniendo en práctica con santos trabajos la doctrina celestial que profesamos con nuestras palabras.

Carta a Raffaelina Cerase del 7 de septiembre de 1915.

100. Paz espiritual en medio de las tormentas de la vida

Recuerda que la paz espiritual puede ser conservada aun en medio de las tormentas de la vida. Como bien sabes, consiste esencialmente en mantener relaciones pacíficas con todos los que nos rodean, deseándoles el bien en todas las cosas. También consiste en estar en buena relación con Dios a través de la gracia santificante. La prueba de que estamos unidos a Dios es la certeza moral de que, en nuestra conciencia, no estamos cometiendo ningún pecado mortal. Resumiendo, la paz consiste en haber alcanzado la victoria sobre el mundo, el demonio, y nuestras propias pasiones.

Esta paz que Jesús nos ha traído puede seguir siendo nuestra no sólo cuando gozamos de abundantes consolaciones espirituales sino también cuando nuestros corazones están llenos de dolor y preocupaciones.

Carta a Raffaelina Cerase del 10 de octubre de 1914.

101. La buena voluntad es suficiente

Vive con alegría y coraje en lo más profundo de tu corazón, y en medio de las pruebas en las que el Señor te coloque. Vive con alegría y con coraje, te repito, porque el Ángel que anunció el nacimiento de nuestro pequeño Salvador y Señor anunció que traía noticias de alegría, de paz, de felicidad a los hombres de buena voluntad. Por lo tanto, para recibir a este niño, es suficiente con tener buena voluntad.

Carta a Assunta Di Tomaso de 1917.

102. Sigue con coraje las huellas de los santos

No dejes que las innumerables tentaciones que se te presentan te atemoricen, porque el Espíritu Santo advierte al alma devota que está tratando de avanzar en los caminos del Señor para que se prepare a enfrentar las tentaciones (cf Ecli 2,1).

Sin embargo, no te desanimes, porque la tentación es un signo seguro e infalible de la salud del alma. Piensa que ni los santos fueron privados de esta prueba y esto te dará el coraje para soportarlas.

San Pablo, el apóstol de los paganos, después de haber sido sacado de su tranquilidad, fue sometido a una prueba tal que Satanás llegó a herirlo (cf 2 Cor 12,7). ¡Dios mío! ¿Quién puede leer esas páginas sin que se le hiele la sangre? ¡Cuántas lágrimas, cuántos suspiros, cuántos gemidos de dolor, cuántas oraciones dijo este santo apóstol, que el Señor lo tuvo que librar de esta dolorosa prueba! Pero ¿cuál fue la respuesta de Jesús? Sólo esta: "Te basta mi gracia" (cf 2 Cor 12,9). Nos perfeccionamos en la debilidad.

De todos modos, no te desanimes. Jesús te hace escuchar la misma voz que hizo escuchar a san Pablo. Pelea valientemente y obtendrás la recompensa de las almas fuertes.

Carta a María Gargani del 4 de septiembre de 1916.

103. Un hecho extraordinario

Durante la primera guerra mundial, un hombre anciano entró en la habitación donde el Padre Pío estaba rezando. Le dijo que era Pietro di Mauro, y que había muerto en el convento cuando era una casa para ancianos el 18 de septiembre de 1908. Le dijo al joven fraile que en la habitación número cuatro, habiéndose quedado dormido con un cigarrillo, se le prendió fuego la cama. También le dijo que Dios le había permitido ir hacia el Padre Pío para pedirle que rezara, que especialmente le celebrara una misa. El Padre Pío, que en esa época era muy joven, sintió que esto era muy difícil de soportar. Entonces se lo contó al Padre Paolino de Casacalenda, que no dejó de tener algunas dudas al respecto.

El Padre Paolino tuvo la idea de ir a la ciudad cercana al convento para chequear la información en el registro de difuntos. Allí encontró que, verdaderamente, di Mauro había muerto cuando y como había dicho. El Padre Pío vio al anciano otra vez, una vez que había completado su crecimiento espiritual y su purificación y se hallaba en camino hacia el cielo.

104. En dos lugares al mismo tiempo

Una tarde de mayo de 1928, vi al Padre Pío cerca de una ventana, con la mirada fija hacia afuera. Parecía absorto. Me acerqué para besarle la mano, pero tuve la sensación de que esta estaba rígida. En ese momento lo escuché pronunciar las palabras de la absolución con una voz muy clara.

Inmediatamente corrí a llamar al superior, el P. Alonso. Los dos nos acercamos al Padre Pío, cuando ya pronunciaba las últimas palabras de la fórmula para el perdón de los pecados. En ese momento sufrió un sacudón como si hubiera regresado de un estado de somnolencia. Se dio vuelta hacia nosotros y nos dijo: "¿Estaban aquí? No me di cuenta que estaban aquí."

Pocos días más tarde, al convento llegó un telegrama de una ciudad del norte de Italia. En el mismo agradecían al superior por haber enviado al Padre Pío a asistir a un moribundo. Por las indicaciones que daba el telegrama, comprendimos que ese hombre se estaba muriendo en el preciso momento en el que el Padre Pío estaba pronunciando las palabras de la absolución.

Testimonio del P. Alberto de una bilocación .

105. Una esposa golpeada

Giovanni, un conductor de taxi ateo tenía la costumbre de beber y golpear a su mujer. Una noche en la que se había comportado de esa manera se tiró en la cama. Cuando cayó sobre la misma sintió que alguien la sacudía violentamente. Miró hacia los pies de la cama y, para su asombro, vio a un fraile capuchino que lo miraba severamente. El fraile le dijo lo que pensaba de su conducta en forma muy clara y entonces pareció desaparecer.

Giovanni saltó de su cama y en su casa sólo encontró a su esposa. La pobre mujer negó conocer a algún fraile, pero su esposo no le creía.

La pobre mujer que le había rezado largamente al Padre Pío pidiendo su intercesión había escuchado que tenía el poder de la bilocación. Esa era la única explicación posible: ¡el Padre Pío había venido a ayudarla! Escuchando esto, Giovanni se enojó y decidió ir a ver a este fraile.

Giovanni viajó a San Giovanni Rotondo. Encontró al Padre Pío, lo reconoció y le habló. Para ser breves, el convencido ateo, golpeador de su esposa y bebedor, se convirtió a Cristo y cambió de vida.

106. Sobre sus modales bruscos

Un día estaba con el Padre Pío cerca de la sacristía. Como había demasiada gente, no podíamos pasar con la silla de ruedas. Otro capuchino y yo tratábamos de abrirnos paso en medio de las personas. Gritábamos, pero la gente no cooperaba.

El Padre Pío también gritaba: "¡Déjenme pasar!"

Finalmente, cuando logramos pasar, dijo: "No se preocupen. En mi alma no estaba enojado. Gritaba, pero mi corazón estaba sonriendo."

El único momento en el que algunas personas lo respetaban era cuando les levantaba la voz. Una vez me dijo: "Nunca me enojo interiormente. Si alguna vez me enojé interiormente, no ha sido por esta razón."

Lo mismo se puede decir de sus modales bruscos al confesar: era para que la gente se convirtiera. Sus palabras severas, sus gritos, eran algo que cambiaba a las personas. Podían haber estado alejadas de Dios durante cuarenta, cincuenta o sesenta años. Cuando el Padre Pío les gritaba, ese era el sacudón que necesitaban para volver a Dios.

Testimonio del P. Alessio durante los últimos días del Padre Pío.

107. Considerarlo todo como si fuera un préstamo

Reflexiona sobre la gran humildad de la Madre de Dios, nuestra Madre. Cuanto más colmada fue de los dones celestiales, más profundamente vivió la humildad hasta el punto de que, cuando fue cubierta por la sombra del Espíritu Santo que la convirtió en la Madre del Hijo de Dios, pudo decir: "Yo soy la servidora del Señor" (Lc 1,38).

En la medida en que los dones crecen en ti, haz que crezca también tu humildad de tal manera que puedas considerarlo todo como si fuera un préstamo. El crecimiento de los dones siempre debe ir de la mano del humilde reconocimiento del bienhechor excepcional que los proporciona, para que de tu corazón brote como un estallido una constante acción de gracias.

Carta a Raffaelina Cerase del 15 de mayo de 1915.

108. Los santos desean estar eternamente unidos a Dios

Si el Señor quiere prolongarme la vida, sé que esta es su voluntad. Pese a los esfuerzos que realizo, pocas veces he logrado hacer un acto de verdadera resignación, porque siempre tuve frente a mí la clara conciencia de que sólo a través de la muerte se puede encontrar la verdadera vida.

De aquí que, involuntariamente, sea más frecuente en mí cometer actos de impaciencia y quejarme al Señor —por favor, Padre, no se escandalice— hasta el punto de llamarlo cruel, un atormentador de almas que quiere que lo amen. Pero esto no es todo. Cuando siento que la vida me pesa cada vez más, cuando experimento en lo más profundo de mi alma algo como una llama que arde pero que no me consume, entonces no puedo realizar ningún acto de resignación a la voluntad divina durante esta vida.

Oh Dios, rey de mi corazón, la única fuente de mi felicidad, ¿hasta cuándo deberé esperar aun para que abiertamente pueda disfrutar de tu inefable belleza?

Carta al P. Agostino del 25 de septiembre de 1915.

10.9. Su alegría navideña

Que el Niño celestial despierte en su corazón también esas santas emociones que me hizo sentir durante la santa noche cuando fue puesto en la pobre y pequeña cuna. ¡Dios mío! No le puedo describir, mi querido Padre, todo lo que sentí en mi corazón en esa noche tan feliz. Mi corazón parecía desbordado de un santo amor por nuestro Dios hecho hombre. La noche del alma perduró aun en ese momento, pero puedo decirle que en medio de esa oscuridad interior tan espesa, fui colmado hasta el hartazgo de alegría espiritual.

Carta al P. Agostino del 28 de diciembre de 1917.

110. Dios ve las cosas de un modo diferente al nuestro

Te quejas de que dejaste Foggia en busca de una mejoría de la salud de tu querida hermana y, desafortunadamente, no la encontraste como pensabas, ni como te hubiera gustado encontrarla. El alma del cristiano ve de un modo muy diferente al de la providencia de Dios. ¿Te parece poca cosa el cambio espiritual que hizo tu hermana y también el tuyo? Si miras las cosas con atención, te darás cuenta de que el orden fue invertido. Dejaste tu pueblo buscando una salud mejor para tu hermana, pero la divina misericordia (mira qué bueno es Dios) quiso que tú encontraras la salud del alma, a lo que le has prestado menos atención.

Nuestro Dios, mi querida hermana, es admirable en sus juicios. No comprendes suficientemente el cambio que se ha producido en el alma de tu hermana y en la tuya, y esto es muy bueno.

Mis palabras te parecen chino y difíciles de creer, pero el Señor comprende lo que te digo.

Carta a Raffaellina Cerase del 9 de septiembre de 1914.

111. Milagro en un ómnibus

Para complacer a mi esposa fuimos a San Giovanni Rotondo a ver al Padre Pío. Pero nos dijeron que estaba enfermo y que era imposible verlo. Por este motivo nos encontramos sobre el ómnibus de regreso conversando con un señor muy distinguido y un niño.

El hombre nos dijo que su hijo se había quedado completamente sordo, y los mejores especialistas a los que lo había llevado no le dieron ningún tipo de esperanzas. Por lo tanto fue a verlo al Padre Pío para pedirle su intercesión poderosa ante nuestro Señor, y lo acompañaron hasta la celda, donde su hijo recibió la bendición con esta promesa: "Vayan en paz, rezaré por ustedes."

El niño estaba mirando el paisaje por la ventanilla. De repente se volvió hacia su padre y le dijo en voz alta: "¿Por qué gritas tanto?" y, sorprendido por el hecho de que hablábamos en voz baja, inmediatamente se dio cuenta de que había sido sanado y exclamó lleno de alegría: "¡Papá, puedo oír! ¡Papá, puedo oír!"

Recuerdos de Ennio Rossi de un día durante el verano de 1947.

112. ¿Lo dudas?

El P. Plácido fue hospitalizado con un agudo dolor en el hígado en julio de 1957. Una noche, por bilocación, el Padre Pío se le apareció a este viejo amigo al costado de su cama para ofrecerle consuelo y asegurarle que se recuperaría. "Sé paciente", le aconsejó. ¿Fue un sueño? Padre Plácido se despertó mucho mejor. Pero fue sorprendido por la marca de una mano en la ventana junto a su cama. Tuvo la certeza de que era la huella de la mano del Padre Pío. Se lo comentó a todos los que iban a su habitación y muy pronto varias personas acudían allí para verlo. El capellán informó al superior del convento local, que regañó al Padre Plácido, insistiendo en el hecho de que este tipo de historias no le hacían bien al pobre Padre Pío. Pero el P. Plácido persistió en su convicción. Todos los esfuerzos por limpiar la ventana fracasaron. La huella siempre reaparecía. El P. Alberto, un hermano de la misma comunidad, lo visitó y se mantuvo escéptico. P. Plácido quiso ir inmediatamente a San Giovanni Rotondo para preguntarle al Padre Pío. Así lo hizo y terminó su extenso interrogatorio con esta pregunta: "¿Entonces realmente fuiste al hospital?"

El Padre Pío le respondió: "¿Lo dudas?"

El P. Plácido se recuperó del todo. Y el P. Alberto recordó que aquellos que tienen fe en lo "imposible" no siempre están locos.

Testimonio del P. Plácido de San Marco in Lamis
(un compañero de noviciado del Padre Pío).

113. Un testimonio de la segunda guerra mundial

Estábamos en San Giovanni Rotondo desde fines de agosto hasta comienzos de octubre de 1943, siguiendo los bombardeos de los aliados que trataban de desalojar a los invasores alemanes. El Padre Pío continuó su apostolado en el confesionario y, cuando podía, en la sala recibía a varias personas.

Una tarde, el Padre, profundamente conmovido, nos contó que esa mañana muy temprano habían llegado desde Pescara algunas personas, que viajaron como habían podido desde esa ciudad, bombardeada en repetidas ocasiones desde el mar, el cielo y la tierra al mismo tiempo.

Durante el bombardeo se tiraron al suelo de la planta baja de un edificio de cuatro pisos y allí, aterrorizados por las continuas explosiones, gritaron y rezaron, sosteniendo una fotografía de Padre Pío y repitiendo entre sollozos: "¡Padre Pío, sálvanos!"

Entonces llegó el momento crucial: una bomba destruyó el cuarto piso, luego el tercero, después el segundo, y finalmente el primero. Imagínense el miedo aterrador de esas personas cuando esa bomba, haciendo un estruendo terrible, cayó precisamente en el piso de arriba del lugar donde se habían refugiado.

Entonces gritaron invocando al unísono la ayuda del Padre: "¡Padre Pío, sálvanos!"

Dios respondió esta súplica por la oración de intercesión de su santo de un modo maravilloso: la bomba no explotó.

De allí que la delegación llegara a agradecerle las oraciones y los sacrificios que por su salvación, había ofrecido el Padre Pío.

114. El caso de Agnes

Durante veinte años, Agnes nunca había tenido ni siquiera un dolor de cabeza. Pero después de sufrir dolores en su rodilla izquierda a lo largo de todo un año, unas radiografías le diagnosticaron un tumor, confirmado también por otro médico. En la navidad de 1967, su padre y su hermano visitaron al Padre Pío, que les advirtió que debía ser operada, agregando: "No se preocupe, yo guiaré la mano del cirujano." El 2 de enero de 1968, la operación fue hecha con éxito y la salud fue mejorando hasta octubre, un mes después de la muerte del Padre Pío, cuando el cáncer volvió a aparecer. El 14 de octubre de 1968, una nueva operación permitió hacer una biopsia de los tejidos en tres institutos diferentes. El resultado fue unánime: sarcomatosis avanzada de un tumor mieloplasma. Un especialista recomendó la amputación de la pierna. Otro dijo que la amputación no era necesaria sino que había que volver a operar para inmovilizarla, pero ella se negó. Un tercer especialista quiso operarla inmediatamente.

Agnes visitó la tumba del Padre Pío el 20 de diciembre. Sin hacer ninguna de las operaciones recomendadas sino con la sola aplicación de las vendas manchadas con la sangre de los estigmas del Padre Pío, Agnes recibió la ayuda de Dios. El 25 de abril de 1969, el Padre Pío se le apareció brevemente en un hermoso sueño y empezó a caminar sin muletas. Los exámenes demostraron que la enfermedad dejó de extenderse. Después de dos años de inmovilidad casi total, en septiembre de 1969 Agnes caminó hasta la tumba del Padre Pío, donde se arrodilló completamente curada.

115. Un toque sanador

Era el 8 de diciembre de 1977 cuando el P. Alessio, italiano, se encontraba en New Orleans para hablar del Padre Pío. Desde hacía diez meses yo sufría mucho de artritis reumatoidea paralizante. Mis manos estaban tan hinchadas que no podía sostener una cuchara, y tenía dolores terribles en mis rodillas y mis piernas. Empecé a rezarle al Padre Pío, confiando en que intercedería por mí en mi dolor (cf 1 Tim 2,1) y me ayudaría a cargar mi cruz.

Me acerqué a la mesa en la que la reliquia del Padre Pío había sido colocada y le dije al P. Alessio que durante años le había rezado al Padre Pío para que me ayudara. El P. Alessio dijo: "Hija, ¿por qué estás sufriendo?" Le contesté: "Tengo artritis reumatoidea en mis manos, pies y rodillas." Entonces el P. Alessio sostuvo la reliquia del Padre Pío para que la tocara con mis manos. Por cuánto tiempo tuve el privilegio de sostener la reliquia, no lo recuerdo, pero sí recuerdo que volví a casa feliz. A la mañana siguiente me desperté y me di cuenta de que mis manos ya no estaban más hinchadas y de que las rodillas y las piernas ya no me dolían. Estaba total y milagrosamente curada. Desde esa mañana del 9 de diciembre de 1977, no tuve ningún signo de dolor o hinchazón en ninguna parte del cuerpo. Gracias a Dios y a la intercesión del Padre Pío.

Testimonio de Patricia Gagliano de New Orleans.

116. Una luz celestial

La gracia más delicada que pueden pedir por aquellos que aspiran a tener una vida espiritual profunda es la de que se les aumente la luz de Dios. Esta es una luz que no se puede adquirir ni por mucho estudiar ni a través de la instrucción humana, porque la infunde directamente Dios. Cuando el alma recta recibe esta luz, llega a conocer y a amar a Dios y a las cosas eternas en sus meditaciones con extrema claridad y deleite. Aun cuando no sea más que la luz de la fe, es suficiente para producir una tal consolación espiritual que la tierra, en primer lugar, desaparece de la vista, mientras que todo lo que este mundo puede ofrecer aparece como algo sin valor.

Carta a Raffaelina Cerase del 23 de octubre de 1914.

117. La gloria más allá de todo

Mi querida hermana, calma las atormentadoras ansiedades de tu corazón, y destierra de tu imaginación todos esos pensamientos y sentimientos tristes. Jesús siempre está contigo, aun cuando no sientes su presencia. Nunca está tan cerca de ti como durante tus batallas espirituales. Siempre está allí.

Por favor, te suplico que no te equivoques alimentando la más mínima sospecha de que te ha abandonado ni siquiera por un momento. Realmente esta es una de las tentaciones más diabólicas que debes alejar de ti apenas se te presente.

Debes consolarte, hija querida, sabiendo que las alegrías de la eternidad serán más intensas y profundas cuanto más sean los días de humillación y los años de infelicidad que hayamos vivido en esta vida. Esta no es sólo mi opinión. Las Sagradas Escrituras nos ofrecen un testimonio infalible. El salmista dice: "Alégranos por los días en que nos afligiste, por los años en que soportamos la desgracia" (Sal 90,15). San Pablo apóstol, además, dice: "Nuestra angustia, que es leve y pasajera, nos prepara una gloria eterna, que supera toda medida" (2 Cor 4,17).

Carta a Raffaellina Cerase del 15 de agosto de 1914.

118. Haz que el Padre esté orgulloso de ti

Vive de tal manera que el Padre del cielo esté orgulloso de ti, así como está orgulloso de tantas otras almas elegidas. Vive de tal manera que seas capaz de repetir a cada momento con el apóstol san Pablo: "Sigan mi ejemplo, así como yo sigo el ejemplo de Cristo" (1 Cor 11,1). Vive de tal manera, te repito, que el mundo se vea obligado a decir de ti: "Aquí está Cristo." Por favor, ¡no pienses que es una exageración! Todo cristiano que es un verdadero imitador y seguidor del Nazareno puede y debe poder llamarse a sí mismo un segundo Cristo y mostrar con su vida la imagen total de Cristo del modo más claro posible. ¡Si al menos todos los cristianos vivieran su vocación, esta tierra de exilio se transformaría en un paraíso!

Carta a Raffellina Cerase del 30 de marzo de 1915.

119. La primera promesa del Padre Pío

"Podré hacer mucho más cuando esté en el cielo que ahora que estoy en la tierra", dijo el

Padre Pío antes de morir, el 23 de septiembre de 1968.

Desde entonces, el santo capuchino ha sido visto por un buen número de personas; la mayoría de ellos —incluidos niños— eran enfermos en fase terminal hasta que acudió a ellos como un mensajero de Dios, como un portador de salud. Entre los testimonios rescatamos el de su entrañable amigo, el físico Andrea Cardone, que insistió en haber visto al Padre Pío ya difunto "en su carne mortal".

Después de los estudios realizados por expertos en la enfermedad, una de las muchas curaciones —la de una italiana madre de tres hijos— ha sido catalogada como una sanación espontánea, completamente inexplicable desde el punto de vista humano, y aceptado como milagro por la Iglesia católica para poder proceder a la beatificación del Padre Pío después de haber comprobado que ha vivido heroicamente las virtudes cristianas.

120. Un dulce recuerdo

El Padre Pío dijo: "Les pertenezco enteramente a todos. Cada uno puede decir 'el Padre Pío es mío'. Amo profundamente a toda la humanidad. Amo a mis hijos espirituales como a mi propia alma y aun más. Los he regenerado a Jesús a través del sufrimiento y el amor. Puedo olvidarme de mí mismo pero no de mis hijos espirituales. De todos modos, puedo asegurarles que, cuando el Señor me llame, le diré: 'Señor, me quedaré en las puertas del cielo hasta ver que todos mis hijos espirituales han entrado'."

En 1968, cuando el Padre Pío murió, además de haber fundado un inmenso hospital llamado "La Casa Alivio del Sufrimiento", su herencia incluye 726 grupos de oración con 68.000 miembros. Hoy el hospital trabaja al máximo de sus capacidades, y hay 22 centros para discapacitados y un centro para ciegos. El número de grupos de oración se ha duplicado o triplicado. En 1997 seis millones y medio de personas visitaron su tumba. En 1998 más de setenta mil personas peregrinaron juntos en ocasión del aniversario de su muerte.

Fuentes utilizadas

ARCHIVOS del Padre Pío, Convento capuchino, San Giovanni Rotondo.

Boletín *Voce di Padre Pío. Mensile a cura della Postulazione di Padre Pio da Pietrelcina*, Ed. Padre Pio, San Giovanni Rotondo.

DEL FANTE A., *Per la Storia. Fatti nuovi*, Nova de Alba 1969.

Mc CAFFREY, J., *The Friar of San Giovanni: Tales of Padre Pio*, London 1983.

PARENTE A. (editor), *Have a Good Day*, San Giovanni Rotondo 1995.

PARENTE A., *Send Me Your Guardian Angel: Padre Pío*, Ed. Carlo Tozza, Nápoles 1984.

PARENTE A. (editor), *Padre Pio: Counsels*, Padre Pio Office, Dublín 1982.

POBLADURA M. de - RIPABOTTONI A. (editores), *Epistolario I, II, III, IV*, San Giovanni Rotondo 1973-1984.

RIPABOTTONI A. de, *Padre Pio da Pietrelcina. Un Cirineo per tutti*, Foggia 1974.

SAN MARCO IN LAMIS A. de, *Diario*, ed. De G. De FLUMERI, San Giovanni Rotondo 1975.

SCHUNG J. A., *A Padre Pio Profile*, St. Bede's Publications, Peterham 1987.

TREECE P., *Padre Pio's Ordinary Side*, The Tidings, 1998.

TREECE P., *Messengers: After-Death Appearances of Saints and Mystics*, Our Sunday Visitor, Huntington 1995.

Este libro se terminó de imprimir, con una tirada de 3.000 ejemplares,
en el mes de julio de 2006, en **Gráfica Zapata**,
Manuel Ocampo 1751, Avellaneda, Provincia de Buenos Aires,
República Argentina.